"Este es un libro muy oportuno con respecto a la necesidad de la iglesia local en una época de confusión y decepción. Hansen y Leeman han provisto un entendimiento lógico, práctico, bíblico y básico del rol de la iglesia en la vida del creyente. Es difícil imaginar a un cristiano madurando en Cristo, viviendo consistentemente el evangelio y que a la misma vez esté apartado de la iglesia local. Si te preguntas por qué sucede esto, necesitas leer este libro para estar convencido y motivado. Espero y oro que nuestro Dios use este libro para contribuir al redescubrimiento y la reedificación de la iglesia en nuestros días".

— **Miguel Núñez,** pastor general, Iglesia Bautista Internacional de Santo Domingo, República Dominicana

"Érase una vez, las verdades básicas acerca de la iglesia eran extrañas solo para los cristianos nominales quienes habían abandonado el compromiso con la iglesia hace mucho tiempo. Con la entrada de COVID-19 y la disponibilidad de servicios de transmisión en vivo, más y más creyentes están prefiriendo 'hacer iglesia' en casa. Por lo tanto, este libro de fácil lectura y rico en anécdotas personales, ha salido en un momento crucial. Collin Hansen y Jonathan Leeman nos invitan a redescubrir la iglesia sugiriendo una definición global de la iglesia. Caminando con ellos a través de este libro renovarás tu amor por la iglesia y su cabeza, el Señor Jesucristo".

— **Conrad Mbewe,** pastor, Iglesia Bautista Kabwata, Lusaka, Zambia

"*Redescubre* es un libro oportuno y relevante, muy necesario para el mundo pospandémico. Ya no se puede dar por sentada a la iglesia; esta generación quiere saber por qué estamos haciendo lo que hacemos. Hansen y Leeman hábilmente combinan el pensamiento bíblico con la experiencia del mundo real para entregar un manifiesto de lo que debería ser la iglesia hoy. ¿Por qué nos reunimos físicamente en un mundo virtual? ¿Quién le ha dado a la iglesia la autoridad para proclamar la verdad? ¿Cómo amamos a aquellos dentro y fuera de la iglesia? ¿Cómo practicamos el difícil amor de la disciplina en la iglesia? A veces contundente (la inmoralidad de iglesias homogéneas), lleno de ilustraciones memorables (la iglesia como una embajada) y siempre considerado, este es un libro que tu iglesia debe estar leyendo y discutiendo".

— **J. Mack Stiles,** misionero y expastor en el
Medio Oriente; autor, *La evangelización*

"Aun antes de la pandemia de COVID-19, habían surgido opiniones muy diversas sobre la iglesia cristiana. Las restricciones debido a la pandemia han desafiado aún más nuestra visión sobre lo que es la iglesia y su función; por lo tanto, ahora más que nunca es necesario una redención bíblica. Collin Hansen y Jonathan Leeman toman la iniciativa y ofrecen este libro para llevarnos hacia dicha redención. Escrito en un estilo lúcido y conversacional, *Redescubre* ofrece una visión bíblica convincente, llena de discernimiento y sabiduría práctica. Debería ser leído y discutido en cada iglesia porque ofrece una guía bíblica importante para ayudar a los creyentes a redescubrir la iglesia de Cristo Jesús para Su gloria y para el avance del evangelio".

— **Kees van Kralingen,** anciano, Iglesia Bautista Independiente
de Papendrecht, Países Bajos; editor, *Reformation Today*;
miembro del consejo, The Gospel Coalition Nederland.

REDESCUBRE

REDESCUBRE

REDESCUBRE

¿POR QUÉ IR (DE NUEVO) A LA IGLESIA?

COLLIN HANSEN

JONATHAN LEEMAN

POIEMA
LECTURA REDIMIDA

Mientras lees, comparte con otros en redes usando

#Redescubre

Redescubre
Por qué ir (de nuevo) a la iglesia
Collin Hansen & Jonathan Leeman

© 2021 por Poiema Publicaciones

Poiema Publicaciones
info@poiema.co
www.poiema.co

Impreso en Colombia
ISBN: 978-1-955182-05-8
SDG

Para mi grupo en casa:
Aquellos que pasan la pandemia juntos,
permanecen juntos.

Collin

A mis hermanos y hermanas
de Cheverly Baptist Church

Jonathan

Tabla de contenido

REDESCUBRE

Introducción

Puedes tener muchas razones para no asistir a la iglesia. En efecto, muchas personas dejaron de asistir durante la pandemia reciente —aproximadamente un tercio de los asistentes — según algunos estimados. Puede que tú seas uno de ellos. Este libro tiene como objetivo ayudarte a redescubrir la iglesia. O quizás puede ayudarte a descubrir por primera vez por qué Dios quiere que priorices el reunirte y comprometerte con la iglesia local.

En pocas palabras, un cristiano sin una iglesia es un cristiano en problemas.

Ya no podemos asumir que aun los creyentes en Jesucristo dedicados entienden por qué deben interesarse por la iglesia. La cantidad de personas que se identifican como cristianos es mucho mayor que el número que asiste semanalmente. Aun así, la mayor parte del servicio y las ofrendas en nuestras iglesias tiende a ser realizado tan solo por unos cuantos. Entonces, no es como si de repente el COVID-19 convenció a los cristianos de que no necesitan la iglesia. Millones ya habían tomado esa decisión incluso antes de que reunirse implicara registrarse en línea, distanciamiento social y mascarillas.

Sin embargo, el COVID-19 aceleró la separación que llevaba años entre la fe personal y la religión organizada. Los cierres en los países nos tomaron a todos por sorpresa al ser tan repentinos y de duración indefinida. Y es difícil regresar al hábito cuando ha sido roto por más de un año. Ese problema no es específico para la iglesia. Trata de regresar al gimnasio cuando por meses has tenido miedo de asistir.

Reanudar la asistencia a la iglesia sería bastante difícil si nuestro único problema fuera que una enfermedad mortal nos mantuvo alejados mucho más tiempo de lo que esperábamos. Pero el miedo a contraer el COVID-19 quizás sea la menor de las razones que convencieron a muchos cristianos de mantenerse alejados de la iglesia. Los debates sobre mascarillas, vacunas y demás dividieron a los miembros de la iglesia que estaban atrapados en sus hogares y pegados a las noticias de Facebook llenas de advertencias terribles y teorías de conspiración. Los cristianos se llevaban mucho mejor antes de las redes sociales. Quitamos la experiencia unificadora de adorar juntos semanalmente bajo el mismo techo, y los lazos afectivos se han desgastado.

Pero eso no es todo. Las elecciones recientes – al menos para los lectores estadounidenses – podrían haber sido aún más divisivas. ¿Cómo pueden los cristianos adorar junto a votantes con prioridades tan diferentes? Claro, los cristianos pueden compartir los mismos puntos de vista sobre la Trinidad, el bautismo e incluso la escatología. ¿Pero de qué sirve eso cuando sentimos que tenemos más cosas en común con nuestros aliados políticos, los cuales pueden ni siquiera ser cristianos?

Lo mismo ocurre con las causas de disturbios raciales. Podríamos preguntarnos, ¿Por qué los vecinos no creyentes ven las soluciones de forma tan clara, cuando la pareja que solía sentarse con nosotros en la iglesia cada semana promueve puntos de vista tan ignorantes e incluso peligrosos en sus publicaciones de redes sociales? Éstas razones son suficientes para que muchos piensen que nunca podrían sentirse seguros o cómodos regresando a esa misma iglesia.

¿Y qué hay de los pastores? Han escuchado nuestras quejas. ¿Por qué no se acercaron para ver cómo estábamos mientras nos encontrábamos encerrados en casa? ¿Cómo pasaron ellos su tiempo durante la pandemia? Los sermones en línea fueron sin entusiasmo, especialmente cuando cualquiera que se hubiera conectado estaba distraído por sus niños en casa. De cualquier manera, los pastores regulares no se pueden comparar con líderes valientes que abordaron los temas de frente en las entrevistas en la televisión y en artículos. Además, la pandemia hizo que fuera más fácil ver los sermones de otros pastores en línea sin culpa o sin faltar a nuestra propia iglesia. Sabíamos que nadie lo notaría, ya que de todos modos no podíamos ver a nuestros pastores en persona.

Sí, todos tenemos muchas razones para no regresar a la iglesia. De hecho, muchas iglesias no esperan que regresemos. Están lanzando iglesias virtuales y contratando pastores virtuales. No hay necesidad de levantarse temprano el domingo. No hay necesidad de vestirse. No hay necesidad de buscar un lugar para estacionarse. No hay necesidad de ignorar el sonido de bebés llorando. No hay necesidad de tener conversaciones saboreando un mal café con la persona cuya política te desagrada. No hay necesidad de disimular un bostezo a lo largo del sermón. No hay necesidad de probar el pan y el vino.

¿Un futuro para la Iglesia?

¿Entonces, hay un futuro para la iglesia? ¿Es la iglesia virtual el futuro? Sí y no. Es por eso que en este libro buscamos convencerte de que redescubras la iglesia. No lo hacemos con ingenuidad, como si no pudiéramos imaginarnos por qué alguien tendría problemas con la iglesia local. De hecho, cualquiera que ama la iglesia debe aprender a perdonar y tolerar a los cristianos. Dios no nos invita a la iglesia porque es un lugar cómodo para encontrar un poco de estímulo espiritual. No, Él nos invita a una familia espiritual de inadaptados y marginados. Él nos da la bienvenida a un hogar que casi nunca es lo que queremos, sin embargo, es justo lo que necesitamos.

Trata de recordar la iglesia antes de la pandemia. Cuando mirabas a tu alrededor a la congregación reunida para cantar, orar y escuchar la Palabra de Dios, podrías haber pensado que todos estaban felices de estar allí. Posiblemente hayan escuchado en silencio mientras el pastor predicaba o gritaban "¡Amén!" cuando querían afirmar un punto. Podrían haber levantado sus manos mientras el coro cantaba o fijado la mirada en el himnario. Podrían haber extendido un cálido apretón de manos y un amistoso saludo, u ofrecido un rápido "que la paz sea contigo" antes de seguir su camino.

Pero no todo es lo que parece, aún en una iglesia llena de sonrisas. La pandemia tensó nuestras relaciones y sacó a luz algo del dolor y el miedo detrás de los rostros felices.

Detrás de cada sonrisa en la iglesia encontrarás una historia. Encontrarás una familia que discutió desde salir de casa hasta que cruzaron las puertas de la iglesia. Encontrarás una viuda en duelo por una pérdida que todos los demás ya han olvidado. Encontrarás un alma solitaria luchando con la duda sobre la bondad de Dios en medio de una vida de dolor y sufrimiento. Quizás hasta encuentres a un pastor preguntándose cómo puede pedirle a la iglesia que siga a Jesús después de una semana en la que él mismo ha fallado tantas veces.

Semana tras semana en tu iglesia, nunca estarás completamente seguro de cómo se sienten o qué piensan todos, sin importar como luzcan. Ni siquiera puedes estar seguro de por qué llegan. Es por esta razón que no sabes quién regresará. Una persona minuciosamente investigó la posición doctrinal de varias iglesias antes de seleccionar la mejor opción. Otra persona tan solo necesitaba amigos en una nueva ciudad. Una persona ha saltado de congregación en congregación y no ha encontrado una adecuada. Otra persona no puede pensar en una sola razón por la cual dejar la iglesia en la que creció y donde ha visto cada etapa de nacimiento, matrimonio y muerte. Solo por las apariencias no puedes saber la historia completa, incluso en tu propia iglesia.

¿Entonces por qué redescubrirías la iglesia? ¿Qué podría sacarte de la cama nuevamente el domingo por la mañana o del sofá después del trabajo un miércoles por la noche? ¿Por qué regresarías a una congregación en particular entre otras opciones? ¿Para qué interesarse siquiera en el cristianismo? El mundo casi no sintió la ausencia de la iglesia durante la pandemia. Es más, ¿y qué es la iglesia? ¿Será que es un club de autoayuda para los mental y emocionalmente débiles? ¿Será un grupo político activista para los de mentalidad afín y cerrada? ¿Será una organización de servicio comunitario para personas que disfrutan canciones de antaño?

Aun antes de la amenaza de un contagio mortal, la iglesia parecía cada vez más extraña en una época en donde los vecinos rara vez se reúnen para cosas como discusiones íntimas, aprendizaje tranquilo y cantos entusiastas, especialmente cuando el tema proviene de un libro antiguo sobre prácticas extrañas tales como sacrificios de animales, un libro que los cristianos consideran que tiene la autoridad absoluta.

¿Entonces, qué pasa cuando vas a la iglesia? No nos referimos solo al sermón, las canciones y el servicio (aunque abordaremos todas estas cosas y más en este pequeño libro). Estamos hablando de lo que pasa más allá de las sonrisas, más allá de las canciones y más allá de leer las Escrituras. Estamos hablando acerca de los planes y propósitos de Dios, porque tu iglesia es mucho más de lo que se ve a simple vista. De hecho, es la niña de los ojos de Dios, el cuerpo por el cual Jesucristo dio Su propio cuerpo. Es esencial.

Es por esto que Dios usa la relación más íntima del ser humano, el matrimonio, para explicar lo que está pasando en tu iglesia. Enseñando en la iglesia en Éfeso acerca del matrimonio, el apóstol Pablo escribe:

> Esposos, amen a sus esposas, así como Cristo amó a la iglesia y se entregó por ella para hacerla santa. Él la purificó, lavándola con agua mediante la palabra, para presentársela a Sí mismo como una iglesia radiante, sin mancha ni arruga ni ninguna otra imperfección, sino santa e intachable (Ef 5:25-27).

En este pasaje, Pablo usando como referencia una relación que ya conocemos, el matrimonio, nos ayuda a entender algo acerca de la iglesia que no podemos ver. Los esposos aman a sus esposas al dar su vida por ellas. Así mismo, Jesucristo – el hijo unigénito de Dios, concebido por el Espíritu Santo, nacido de la virgen María, crucificado por órdenes romanas, resucitado de los muertos al tercer día – se entregó a Sí mismo por la iglesia. A través de Su sacrificio en la cruz, perdonó a todos aquellos que se apartaron del pecado y confiaron en Él. Puedes ser santo porque Jesús entregó Su cuerpo. Así como nutres y amas tu cuerpo, así Cristo nutre y ama a Su iglesia (Ef 5:29).

Imagina el profundo misterio de Cristo y la iglesia cuando la anciana a tu lado usa demasiado perfume, cuando el muchacho frente a ti aplaude a un ritmo equivocado y cuando tu amigo del otro lado del pasillo olvida decirte "¡Feliz cumpleaños!". Es aún más difícil imaginar ese misterio cuando estás solo en tu casa, porque incluso, y especialmente los miembros extraños del cuerpo de Cristo nos recuerdan que nadie se acerca a Dios excepto por pura gracia. Nadie puede comprar su lugar en la mesa. Solamente puedes ser invitado.

Lo creas o no, tu iglesia se vuelve aún más interesante. El apóstol Pablo le dice a la iglesia en Corinto, "Ahora bien, ustedes son el cuerpo de Cristo, y cada uno es miembro de ese cuerpo" (1Co 12:27). Sí, tu iglesia es el mismo cuerpo de Cristo. Eso aplica para el banquero que dirige el consejo de ancianos y para el alcohólico en recuperación que no puede controlar su olor corporal. Eso aplica a la chica bella que te saluda con una sonrisa en la entrada y a la que trabaja en la guardería y que nunca ha tenido una cita. Todos los que se han arrepentido de pecado y han creído las buenas nuevas de la muerte y resurrección de Jesús pertenecen a Cristo, y los unos a los otros. Pablo les dice a los romanos, "Pues, así como cada uno de nosotros tiene un solo cuerpo con muchos miembros, y no todos estos miembros desempeñan la misma función, también nosotros, siendo muchos, formamos un solo cuerpo en Cristo, y cada miembro está unido a todos los demás" (Ro 12:4-5).

En Cristo, tu iglesia es perfecta, sin mancha ni arruga. Eso es verdad aún durante una pandemia o desorden político. En la práctica, ya sabes – o eventualmente lo descubrirás – que tu iglesia la componen miembros que todavía pecan contra Dios y contra los demás, incluso conforme el Espíritu Santo va santificándolos. Ellos te pisan los talones. Se olvidan de presentarse al cuidado de niños. Dicen cosas ofensivas. Demuestran parcialidad pecaminosa. Y la lista continua.

Pero conforme te ayudamos a redescubrir la iglesia en este libro, necesitarás recordarte a ti mismo lo que no puedes ver. Regresas a la iglesia porque perteneces a Dios, porque Cristo entregó Su cuerpo. Y porque entregó Su cuerpo, Cristo hizo un cuerpo de creyentes de cada tribu, lengua, pueblo y nación (Ap 5:9). En este cuerpo, ninguna persona es más importante que otra, porque todos pertenecen solo por gracia y solo a través de la fe. No hay favoritismos hacia el rico, no hay preferencia por el que es importante (Stg 2:1-7). Porque le debemos todo a Cristo, compartimos todo con otros: "Si uno de los miembros sufre, los demás comparten su sufrimiento; y, si uno de ellos recibe honor, los demás se alegran con él" (1Co 12:26).

Perteneces a Dios y a nadie más. Un cuerpo, muchos miembros, incluyéndote a ti. Podrás tener muchas razones para no redescubrir la iglesia, pero tienes una razón para hacerlo: a través de estas personas que no te agradan mucho, Dios quiere mostrarte Su amor. Es el único tipo de amor que nos puede sacar de nosotros mismos hacia una comunidad que trasciende las fuerzas que están destruyendo nuestro mundo enfermo. Es la única forma esencial para nosotros de encontrar sanidad juntos.

Más allá de eso, tu iglesia es donde Cristo dice que está presente de una manera única. Incluso nos atreveríamos a decir que tu iglesia y la nuestra es donde el cielo toca la tierra, donde nuestras oraciones comienzan a ser respondidas: "Venga tu reino, hágase tu voluntad en la tierra como en el cielo".

1

¿Qué es una iglesia?

Jonathan Leeman

Tal vez tus padres te llevaron a la iglesia de niño. Los míos lo hicieron. Algunas cosas me gustaban. Otras no tanto. Una cosa que me gustaba era jugar a esconderme con mis amigos en el edificio de la iglesia. Era un edificio extenso e irregular, con pasillos, puertas y gradas en lugares inesperados, perfecto para esconderse. Si me hubieras preguntado, "¿qué es una iglesia?" quizá hubiera señalado el edificio.

De adolescente, lo que más me interesaba de la iglesia eran los eventos del viernes en la noche con canciones divertidas, parodias tontas y devocionales rápidos. Pero si me hubieras preguntado si alguna vez había realmente considerado unirme a la iglesia, no habría sabido qué decir. Probablemente habría esquivado la pregunta, no viendo su relevancia.

En la universidad, dejé de asistir a la iglesia aunque todavía creía las verdades del cristianismo, al menos en mi mente. Sin embargo, quería más al mundo que a Jesús. Así que seguí al mundo con entusiasmo. Puedo decir que era un cristiano nominal, es decir, un cristiano solo de nombre. Llamaba a Jesús mi Salvador, pero ciertamente no era mi Señor. Yo "creía", pero no me había "arrepentido y creído", como Jesús nos manda a hacer. Si me hubieras preguntado, ¿"qué es una iglesia?" probablemente hubiera dicho, "Es un grupo de personas que quieren seguir a Jesús, y es por lo cual no quiero estar allí". Irónicamente, cuanto más me alejaba de la iglesia, mejor entendía lo que era.

¿Y tú? Alguna vez te has puesto a pensar, "¿qué es una iglesia?".

La predicación y las personas

En agosto de 1996, completé mi grado universitario y me mudé a Washington, D.C. para buscar trabajo. Un amigo cristiano me habló de una iglesia en la ciudad. Sintiendo un poco de culpa por la forma en que estaba viviendo, pero especialmente deseando algo más profundo y significativo de la vida, decidí asistir. No recuerdo el sermón de ese primer domingo por la mañana cuando regresé a la iglesia, pero recuerdo haber regresado para el servicio dominical de esa misma noche, y también recuerdo el estudio bíblico del siguiente miércoles por la noche. La siguiente semana asistí a lo mismo: domingo por la mañana, domingo en la noche y miércoles en la noche. De repente me convertí de ser un no asistente a un asistente tres veces por semana. Nadie me obligó. Algo me estaba atrayendo.

De hecho, *alguien* estaba atrayéndome – el Espíritu Santo – y estaba usando dos cosas. Primero, usó la predicación del pastor Mark. Nunca había escuchado algo semejante. Mark predicaba la Biblia verso a verso, capítulo a capítulo, sin vergüenza.

Por ejemplo, un domingo Mark predicó uno de esos capítulos del Antiguo Testamento que son difíciles de entender del libro de Josué. Dios mandó a Josué a entrar a la ciudad cananea y a matar a todo hombre y mujer, joven o viejo, así como a todo el ganado, las ovejas y los burros. Mark leyó el texto en voz alta, nos miró y pausó.

Qué irá a decir después, me preguntaba. *¡Ese texto es indignante!*

Finalmente, el pastor Mark habló: "Si eres un cristiano, deberías saber por qué un texto como este está en la Biblia".

Espera, ¿qué?

Al principio, me molestó el desafío de Mark. *¿Yo debería saber por qué está en la Biblia? ¡Por qué no me dices tú el porqué está eso en la Biblia, señor predicador!*

Sin embargo, un momento después, el desafío de Mark comenzó a tener sentido. Versículos como el que nos había leído nos recuerdan que Dios no nos debe una explicación. Nosotros le debemos a Él una explicación. Dios no está siendo juzgado. Nosotros estamos en juicio. Él es el Creador y Juez. Solo Él puede dar vida y puede tomarla.

No recuerdo lo que el pastor Mark dijo después. El punto es, mi mundo ya había cambiado. La realidad ya había sido reordenada. Estaba viendo con ojos un tanto diferentes, algo así como la nueva perspectiva que adquieres con la edad, pero obtenida en un instante. Se había afianzado una convicción: *Dios es Dios. Yo no.*

La buena predicación hace este trabajo cada semana. Fielmente revela la Biblia y cambia los ojos de tu corazón, ayudándote a ver el mundo desde la perspectiva de Dios, no la tuya. Pensaremos más sobre la predicación en el capítulo 4.

Sin embargo, no fueron predicas como esta la única cosa que el Espíritu Santo usó para atraerme a esa iglesia. También usó a las personas. Un hombre llamado Dan me invitó a unirme a su familia cada sábado por la mañana para desayunar y estudiar Isaías. Una pareja de jubilados llamados Helen y Hardin me invitaban para cenar. Así como otra pareja mayor llamados Paul y Alice. La acogida de la iglesia era dulce y cálida. Yo tenía algunos amigos de la universidad no cristianos conmigo en Washington, D.C., pero cada vez quería pasar más y más tiempo con estos nuevos amigos de la iglesia también, e invitar a mis amigos de la universidad a que se nos unieran.

Esta congregación, con su amor y su compromiso, me ofreció una imagen de un tipo de vida diferente. Yo había vivido para servirme a mí mismo. Ellos vivían para servir a Dios y a los demás. Yo usaba mis palabras para alardear o criticar. Ellos usaban las de ellos para alentar. Yo hablaba acerca de Dios como si fuera un capítulo de filosofía. Ellos hablaban de Dios como si lo conocieran. Yo quería disfrutar la fiesta del fin de semana. Ellos querían disfrutar a Cristo.

La congregación también me dio una imagen de una ciudad diferente. Allí estábamos en Washington,D.C., una ciudad que giraba en torno a conversaciones sobre las próximas elecciones de noviembre de 1996. También los miembros disfrutaban tales conversaciones. Incluso algunos de ellos se iban a sus distritos de origen durante varias semanas para hacer campaña electoral por los escaños de sus jefes para el Congreso o el Senado. Sin embargo, esta gente hablaba de política como si fuera simplemente *importante*. La ciudad quería que ellos trataran el tema como *absoluto*. Los miembros de la iglesia tenían *intereses* políticos. La ciudad quería que adoráramos la política como un *ídolo*.

Eso hacía que, dentro de la iglesia, la cultura política se sintiera… más tranquila, sin frenesí, más respetuosa. El estar de acuerdo con cosas verdaderamente importantes, como la fuente de justicia eterna, nos permitía estar en desacuerdo en amor sobre cosas importantes, como la mejor estrategia política para la justicia actual.

Las brechas demográficas tradicionales también tenían menos influencia. Yo era un hombre soltero iniciando la década de los veinte. Con el tiempo, pasé más y más tardes con parejas casadas en sus setentas o con una viuda en sus ochentas. Mis primeras amistades significativas y profundas con hermanos y hermanas de grupos minoritarios ocurrieron en esa iglesia.

En poco tiempo aprendí que la ciudad de Dios marcha a un paso distinto incluso mientras participa en algunas de las marchas cívicas y culturales en las ciudades de este mundo.

Si me hubieras preguntado en esos días, "¿qué es una iglesia?" no podría haberte dado una respuesta bien estructurada. Pero estas dos ideas de predicación y personas – una palabra centrada en el evangelio y una sociedad viviendo en el evangelio – estaban cobrando importancia en mi mente. Una iglesia – yo lo sabía – tenía algo que ver con un grupo de personas reuniéndose para ser formadas por la Palabra de Dios. De esa forma, ellos empiezan a vivir juntos como un tipo diferente de personas, unas que están *en* el mundo y a su vez *no pertenecen* al mundo.

Por qué es importante un correcto entendimiento – Viviendo como en el cielo

Regresemos a esto de nuevo: ¿qué dirías que es una iglesia?

Cuando no pensamos cuidadosamente esta pregunta, arriesgamos perdernos de la dulce bondad que Dios desea para nosotros a través de Su familia. Después de todo, tu *entendimiento* de lo que la iglesia es formará tu *vida* y tu *forma de vivir*.

Por ejemplo, piensa en cómo las personas hoy en día hablan acerca de "unirse" a la iglesia, como si fuera un club. O "llegar a la iglesia" como si fuera un edificio. O "disfrutar la iglesia" como si fuera un espectáculo. ¿Qué estamos asumiendo cuando hablamos acerca de la iglesia de esta forma? Además, ¿cómo influyen estas suposiciones en la forma en que nos comprometemos con nuestras iglesias? Yo diría que esto hace que sea fácil pensar en nuestras iglesias durante noventa minutos a la semana e ignorarlas el resto del tiempo.

"Pero espera", escuchamos de las Escrituras que "una iglesia es en realidad una reunión y una comunidad de la familia de Dios, el cuerpo de Cristo y el templo del Espíritu". Así que, si continuamos tratando a nuestras iglesias como poco más que clubes, edificios o espectáculos sin importancia, nos perderemos de la gran cantidad de apoyo y bendición que Dios quiere darnos.

Este libro tiene como objetivo ayudarte a redescubrir la iglesia para que *entiendas* qué es la iglesia y, a su vez, descubras la riqueza de *vivir* como hermano o hermana en la familia de Dios; el gozo de *vivir* como una parte del cuerpo de Cristo unido a otras partes de este; y el poder contracultural de vivir como uno de los ladrillos en el santo templo donde Dios habita en la tierra. Queremos que experimentes todos estos beneficios y bendiciones, tanto por tu propio bien como por el bien de tus amigos y vecinos no cristianos.

Más que cualquier otra cosa, tus amigos no cristianos necesitan no solo que les hables del evangelio, sino también ver una comunidad que viva el evangelio y que testifique la verdad de esas palabras del evangelio. Quieres que vean la vida de tu iglesia y digan, "Dios realmente cambia a las personas. Y Él realmente está construyendo una ciudad justa y recta, aquí en la iglesia" (ver 1Co 14:25; Heb 11:10).

Solo piensa: los líderes políticos de los Estados Unidos se han referido por años a los Estados Unidos como la "ciudad en la colina". Sin embargo, parte de redescubrir la iglesia es redescubrir que *nuestras iglesias* deben ser esas ciudades en la colina, ya sea que vivamos en los Estados Unidos o en cualquier otra nación. Esto es lo que todos nosotros – cristianos y no cristianos – necesitamos más en estos tiempos político y culturalmente turbulentos.

Hoy el cielo no va a descender a la tierra a través de ninguna nación. Y no ha descendido a la tierra en medio de ninguna nación desde que Dios afianzó su presencia en el templo del antiguo Israel.

Sin embargo, extraordinaria, asombrosa y sorprendentemente, tu iglesia, la que queremos redescubrir, es el lugar donde la Biblia dice que el cielo ha comenzado a descender a la tierra:

- Aquí, el reino de los cielos está cerca (Mt 4).
- Aquí, la voluntad de Dios se hace como en el cielo (Mt 6).
- Aquí, acumulamos los tesoros del cielo (Mt 6).
- Aquí, atamos y desatamos en la tierra lo que es atado y desatado en el cielo (Mt 16; 18)
- Somos el templo celestial (1Co 3; 1P 2)

El cielo toca la tierra a través de nuestras iglesias reunidas. Y cuando esto sucede, les ofreces a los ciudadanos de tu nación, la esperanza de una mejor nación, y a los residentes de tu ciudad, la esperanza de una mejor y más duradera ciudad.

Sin importar los obstáculos por los que atravieses como estadounidense o no estadounidense, minoría o mayoría étnica, rico o pobre, tu esperanza por una sociedad justa y pacífica no debe ser depositada en los reinos de este mundo. Debe ser depositada en el Rey mismo, quien está estableciendo Su reino celestial en los destacamentos a los que nosotros llamamos la iglesia local.

¿Qué es una iglesia?

¿Qué es una iglesia? La Biblia usa toda clase de metáforas para responder esta pregunta: la familia y el hogar de Dios, el cuerpo de Cristo, el templo del Espíritu Santo, el pilar y el fundamento de la verdad, la novia de Cristo, el rebaño de Cristo y más. Cada una de esas metáforas nos dice algo maravilloso acerca de tu iglesia y de la nuestra. Necesitamos todas esas metáforas porque no hay otra organización, cuerpo o persona como la iglesia. Discutimos esto un poco en la introducción y continuaremos mencionándolo a lo largo de este libro.

Sin embargo, aquí está la definición teológica de una iglesia que desarrollaremos en el resto del libro:

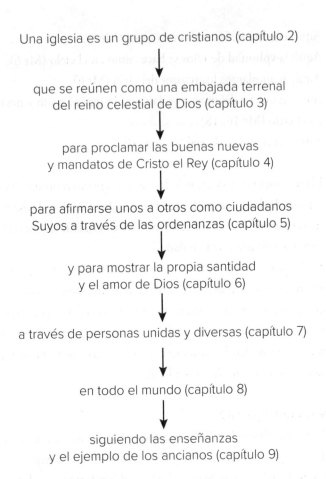

Una iglesia es un grupo de cristianos (capítulo 2)

que se reúnen como una embajada terrenal
del reino celestial de Dios (capítulo 3)

para proclamar las buenas nuevas
y mandatos de Cristo el Rey (capítulo 4)

para afirmarse unos a otros como ciudadanos
Suyos a través de las ordenanzas (capítulo 5)

y para mostrar la propia santidad
y el amor de Dios (capítulo 6)

a través de personas unidas y diversas (capítulo 7)

en todo el mundo (capítulo 8)

siguiendo las enseñanzas
y el ejemplo de los ancianos (capítulo 9)

Finalmente, un miembro

Un par de meses después de llegar a Washington, D.C., uno de mis nuevos amigos me invitó a unirme a la iglesia. De hecho, me invitó a mudarme a la casa para hombres de la iglesia; sin embargo, solo era permitido que vivieran en esa casa los que eran miembros de la iglesia. Era una bonita casa adosada en Capitol Hill – un vecindario deseable – y era barato el alquiler. "¡Claro, me uniré a la iglesia! Dime cómo inscribirme", dije.

Lo que yo pretendía como ganancia económica, Dios lo destinó para mi bien.

La iglesia me pidió que recibiera varias clases de membresía y una entrevista con el pastor Mark antes de unirme. Habiendo crecido en la iglesia, sabía las respuestas correctas. La congregación entonces votó para recibirme como miembro en noviembre de 1996.

Si en ese tiempo me hubieras preguntado qué es una iglesia, asumo que mi respuesta habría sido vaga y genérica. Recuerdo regresando de un almuerzo con el pastor Mark un día y haciéndole pasar un mal rato sobre por qué nuestra iglesia insistía en ser "Bautista". Esas eran las peleas que mi yo de veintitrés años escogía.

A decir verdad, durante el primer año yo tuve un pie adentro y otro afuera. El sábado por la noche me iba de fiesta con mis amigos no cristianos. El domingo por la mañana, iba a la iglesia. Estaba como tratando de pararme en dos caballos a la vez. Sabes que eso no durará mucho tiempo.

Pero el Señor tuvo gracia. Poco a poco, Él cambió mis deseos, y comencé a poner ambos pies en un caballo. Comencé a arrepentirme y a mirar a Cristo como mi Salvador y mi Señor. La Biblia se volvió interesante. Las amistades cristianas se volvieron valiosas. El pecado cada vez más me parecía tonto, y aún detestable.

El arrepentimiento incluía abandonar los pecados de mi juventud, aquellos por los que los pastores de jóvenes advierten.

Sin embargo, el arrepentimiento bíblico también tiene una dimensión corporativa. En mi caso, significó abandonar mi vida como un individuo autónomo y sin ataduras. Significó unirme a una familia y asumir la responsabilidad por esa familia. Significó invitar a otros cristianos a mi vida y tener conversaciones vergonzosas que incluían confesar mi pecado o admitir mi debilidad. Implicaba buscar a hombres mayores para que me discipularan y hombres menores para yo discipular. Me llevó a mostrar hospitalidad a personas que eran nuevas o que estaban en necesidad. Me entrenó en alegrarme con los que se alegraban y en sufrir con los que sufrían.

Para ponerlo de otra forma, el arrepentimiento siempre incluye amor. Jesús dijo, "Este mandamiento nuevo les doy: que se amen los unos a los otros. Así como Yo los he amado, también ustedes deben amarse los unos a los otros. De este modo todos sabrán que son mis discípulos, si se aman los unos a los otros" (Jn 13:34-35).

Date cuenta de que Jesús no dijo que los no cristianos sabrán que somos Sus discípulos por nuestro amor *por ellos*, aunque eso es verdad. Sino dijo que ellos sabrán por nuestro amor *los unos por los otros*. ¿Interesante, no lo crees? ¿Cómo puede ser esto?

Pues mira nuevamente el tipo de amor que es: "Así como Yo los he amado…". ¿Cómo nos ama Jesús? Él nos amó con un amor lleno de gracia con el que llevó nuestros pecados y se sacrificó a Sí mismo. "Pero Dios demuestra Su amor por nosotros en esto: en que cuando todavía éramos pecadores, Cristo murió por nosotros" (Ro 5:8).

¿Qué es una iglesia? Es un grupo de personas que saben que han sido amadas por Cristo y han comenzado a amarse unos a otros de esa forma. Así es como el pastor Mark, Dan, Helen y Hardin y Paul y Alicia amaron a mi yo de veintitrés años con los pies en dos caballos.

De hecho, también así es como nuestros hermanos miembros de la iglesia nos aman a Collin y a mi hoy, con un amor perdonador, tolerante y paciente.

Y así es como tratamos de amarlos de regreso.

Es un amor que los no creyentes afuera en el mundo deben no solamente escuchar de nuestras palabras sino también ver en nuestras vidas juntas, llevándolos a decir, "¡También queremos eso! ¿Podemos unirnos?"

"Amigo", decimos, "déjame primero decirte de donde proviene ese amor".

Lecturas recomendadas

Dever, Mark. *La iglesia: El evangelio visible* (Nashville, TN: B&H Español, 2020).

Hill, Megan. *A Place to Belong: Learning to Love the Local Church* [*Un lugar al que pertenecer: Aprendiendo a amar la iglesia local*] (Wheaton, IL: Crossway, mayo 2020).

Una iglesia es un grupo de cristianos

↓

que se reúnen como una embajada terrenal
del reino celestial de Dios

↓

para proclamar las buenas nuevas
y mandatos de Cristo el Rey

↓

para afirmarse unos a otros como ciudadanos
Suyos a través de las ordenanzas

↓

y para mostrar la propia santidad
y el amor de Dios

↓

a través de personas unidas y diversas

↓

en todo el mundo

↓

siguiendo las enseñanzas
y el ejemplo de los ancianos

2

¿Quién puede pertenecer a una iglesia?

Collin Hansen

Cuando era niño, mi familia frecuentemente asistía a la iglesia. Pero no cada semana. No era una parte particularmente importante de nuestras vidas. Yo me imaginaba que cada vez que aparecíamos, todos nos juzgaban, preguntándose por qué no habíamos llegado la semana o semanas anteriores. Tal vez lo hacían. Probablemente no. La mayoría tampoco asistía cada semana. Mientras nos sentábamos en la parte de atrás con mi familia, tenía muchas preguntas sobre la evolución y los dinosaurios. Llegué a la conclusión de que cuando mi generación se hiciera cargo, dejaríamos la iglesia atrás como un tipo de engaño tonto para generaciones mayores.

Puedes imaginarte mi sorpresa cuando comencé a ver a otros adolescentes emocionados por Jesús y la iglesia. No creí que fuera posible. Asumía que debías ser raro, un tipo de marginado social, para en verdad disfrutar la iglesia. Pero estos adolescentes parecían felices, y yo no lo era. A diferencia mía, parecía que ellos tenían un propósito y una esperanza. Estaba dispuesto, al menos, a asistir al retiro de la iglesia con ellos. Aun así, luché por comprender. ¿Qué podría llenar a los adolescentes con semejante gozo?

Un día en el retiro, comprendí. Apartados de la fe en Jesús, permanecemos condenados en nuestro pecado, alienados de Dios. Pero a través de la muerte sacrificial de Jesús en la cruz, podemos recibir perdón por nuestros pecados cuando nos arrepentimos y nos alejamos de ellos. Porque Jesús ha sido levantado de los muertos, podemos disfrutar paz y comunión para siempre con el Dios que es tres en uno: Padre, Hijo y Espíritu Santo.

No te podría decir si alguna vez había escuchado ese mensaje antes en la iglesia. Y si lo escuché, no me había impactado de la forma que lo hizo durante ese retiro. Y nunca más volví a ser el mismo. Me había convertido. El cambio fue inmediatamente evidente para mi familia y amigos porque tenía gozo, libertad y esperanza. Después de mi experiencia, muchos de ellos también creyeron.

Después fui bautizado y me uní a la iglesia. Luego comprendí por qué tenía una idea tan negativa sobre la iglesia cuando era pequeño, pues todavía no había sido convertido. Mi familia esperaba una asistencia obediente pero no una participación sincera. Tuve que redescubrir la iglesia y responder por mí mismo las preguntas sobre quién puede pertenecer y cómo pueden llegar a ser elegibles para unirse.

¿Quién entonces puede unirse a la iglesia? Los cristianos bautizados. Las personas que han nacido de nuevo y se han identificado como creyentes a través del bautismo. Ciertamente, nuestros amigos paidobautistas dirían que los hijos de los creyentes pueden también unirse a la iglesia al ser bautizados de bebés (como miembros que no participan de la Santa Cena). Sin embargo, todos están de acuerdo en que, entre adultos, una persona debe ser nacida de nuevo y bautizada para unirse a la iglesia. Hablaremos del bautismo en el capítulo 5. Pensemos aquí en la conversión y por qué es importante para redescubrir la iglesia.

Festividades con extraños

Lo más probable es que los que hemos asistido a la misma iglesia por un largo período de tiempo no sabemos lo extraño que puede ser para un visitante. Si no sabes nada de la iglesia, solo entrar al edificio requiere de valentía. ¿A dónde ir? ¿Qué decir? ¿Se te permite entrar? ¿Alguien te espera o desea que llegues? ¿Cómo debes vestirte? Y como si eso no fuera suficiente, el COVID-19 añadió otras preguntas como por ejemplo si la iglesia es en persona o en línea, adentro o afuera, con o sin mascarillas, y esto sin mencionar la expectativa de si estar o no vacunado.

Para alguien nuevo en la iglesia, la terminología usada suena extraña. ¿Alguna vez has escuchado el término *bendición* fuera de la iglesia? ¿Dónde más te sientas en una banca larga como las de la iglesia? La música no te es familiar. Hoy en día solo cantas con un órgano en la iglesia o en un estadio de béisbol, y cuando cantamos en la iglesia las mismas canciones de hace treinta años le llamamos "música cristiana contemporánea". En la radio se le llaman "canciones viejas". A veces hasta el olor es inconfundible. Alguien podría embotellar el olor a alfombra húmeda, café barato, espray de pelo, velas apagadas, y venderlo como nostalgia.

Si puedes obtener buenas respuestas a tus muchas preguntas acerca de la iglesia, ¡felicidades! Ahora bien, encontrarás que las respuestas cambian dependiendo de la iglesia. ¿Cuál es la diferencia entre la iglesia bautista, católica, metodista, presbiteriana y anglicana? Y una iglesia bautista en los Estados Unidos puede no verse, sonar o sentirse igual que una iglesia bautista en Uganda.

Una vez prediqué en una iglesia pentecostal en Italia. Preparé un sermón la mitad de extenso que mi usual sermón de treinta minutos ya que sabía que necesitaría tener traducción. Cuando terminé, nadie se movió. Caí en cuenta de que nunca pregunté cuál era la duración de sus sermones. Solo después me di cuenta de que ellos esperaban que yo enseñara una hora. Debieron sentirse engañados.

Dichas costumbres pueden diferir de iglesia a iglesia, de tradición a tradición y de país a país.

Visitar una iglesia puede sentirse como pasar las festividades con extraños. Imagínate que decides tocar la puerta de alguien alrededor de la hora de la cena en el día de navidad. Todas las personas allí se conocen y se quieren (o al menos parece que así es en navidad). Pero tú eres un extraño. Imagina que en realidad te invitan a pasar con ellos las festividades. Gracias a la cultura popular, probablemente ya tienes una idea general de qué esperar. Habrá comida y regalos. Pero qué comida comerán depende de las tradiciones de cada familia que se transmiten de generación en generación. De igual manera, cómo y a quién dan regalos seguirá un patrón que será firmemente defendido por los guardianes de la tradición familiar. Si actúas de forma equivocada, arruinarás este momento íntimo para todos los demás.

Así es como puede sentirse visitar una iglesia, aunque a esa iglesia le guste que los visites y te unas. Anteriormente comparamos la iglesia a la familia espiritual. ¿Qué significa eso? Para ser parte de una familia necesitas nacer en ella o ser adoptado. Y de hecho la Biblia utiliza ambos conceptos para describir lo que llamamos conversión, que es cómo llegas a pertenecer a esta familia espiritual que es la iglesia. Así como no eliges nacer o ser adoptado, tampoco eliges convertirte. Exploremos entonces lo que enseña la Biblia acerca del nacimiento espiritual y la adopción como algo necesario para unirse a la iglesia.

Debes ser nacido de nuevo

Si te confunde el concepto de nacimiento espiritual, no estás solo. De hecho, el nacimiento espiritual confundió a uno de los primeros seguidores de Jesús, lo que los llevó a una de las conversaciones mejor conocidas del Nuevo Testamento. El nombre de ese seguidor era Nicodemo y puedes leer sobre él en Juan 3. Él pertenecía a los fariseos, un grupo especial de judíos observantes que frecuentemente se enfrentaban a Jesús por interpretar la ley. Por lo tanto, Nicodemo no se sentía cómodo acercándose a Jesús durante el día, pues temía ser visto con el enemigo. Pero no podía negar lo que había visto de Jesús. Era obvio que Jesús no habría sido capaz de realizar milagros como convertir el agua en vino en las bodas de Caná a menos que hubiera venido de Dios. Sin embargo, Nicodemo ni siquiera había formulado su pregunta cuando Jesús le dejó caer esta bomba: "De veras te aseguro que quien no nazca de nuevo no puede ver el reino de Dios" (Jn 3:3).

¿Que qué? Nicodemo hizo la siguiente pregunta obvia: ¿Cómo es eso posible? Una vez sales de tu madre, ya no puedes entrar en ella nuevamente. En su respuesta Jesús no lo aclaró mucho: "Yo te aseguro que quien no nazca de agua y del Espíritu no puede entrar en el reino de Dios" (Jn 3:5). Esa es la clave para nuestras preguntas en este capítulo: ¿Quién puede visitar el edificio de la iglesia para un servicio de adoración? La respuesta es, ¡cualquiera! ¿Pero quién puede pertenecer a la familia espiritual llamada iglesia? Solo aquellos que han entrado en el reino de Dios. Solo aquellos que han sido nacidos de agua y del Espíritu, según Jesús, esto es, solo aquellos que han sido nacidos de nuevo y han sido bautizados. ¿Y cómo sucede esto? Jesús se lo explica al desconcertado Nicodemo: "Porque tanto amó Dios al mundo que dio a Su Hijo unigénito, para que todo el que cree en Él no se pierda, sino que tenga vida eterna" (Jn 3:16).

Nicodemo esperaba poder entrar al reino de Dios siguiendo las leyes de Dios y sus extensivos requerimientos sobre el trabajo y el descanso, el alimento limpio y el contaminado y los diversos sacrificios de animales. Jesús resumió la ley de una manera revolucionaria y simple: cree en Mí y Yo daré Mi vida por ti.

Jesús continuaría explicando que Su eventual muerte en la cruz, lo que parecía ser Su derrota, era en realidad el plan de Dios para satisfacer la justicia y perdonar el pecado. Y lo probó al resucitarlo de entre los muertos. Todos los que pongan su fe en Jesús le seguirán al cielo después de la muerte. Cuando este mundo llegue a su fin, sus cuerpos serán resucitados y van a disfrutar la eternidad con Jesús reinando en el reino de Dios. Todos los que crean en Jesús serán salvos del juicio de Dios por los pecados. Pero todo el que lo niegue sufrirá el castigo eterno por su desobediencia (Jn 3:36).

Más adelante el apóstol Pablo lo diría de esta forma: "Si confiesas con tu boca que Jesús es el Señor y crees en tu corazón que Dios lo levantó de entre los muertos, serás salvo" (Ro 10:9).

La primera vez que nacemos, heredamos el pecado de nuestros padres: el inicio en la rebelión original de Adán y Eva (Gn 3). Es por eso que debemos nacer de nuevo, para no morir sin esperanza. Necesitamos ser salvos de las consecuencias del pecado, que son la muerte eterna y la separación de Dios nuestro Creador. Pero, así como no pedimos nacer la primera vez, solo nuestro Creador puede hacer que nosotros seamos nacidos de nuevo. "¡Alabado sea Dios, Padre de nuestro Señor Jesucristo! Por Su gran misericordia, nos ha hecho nacer de nuevo mediante la resurrección de Jesucristo, para que tengamos una esperanza viva" (1P 1:3).

Entonces, la fe para creer en Jesús es un regalo de Dios (Ef 2:8). Y es un regalo que a Dios le complace otorgar a quienes lo piden. Viene a todos aquellos que se arrepienten o se apartan de sus pecados y ponen toda su fe en nada ni nadie más que en Jesucristo. Cuando los apóstoles vieron este don del arrepentimiento ser otorgado a los gentiles y no solo a los judíos, glorificaron a Dios (Hch 11:18). Seguir a Dios significa abandonar a todos los otros dioses. Cuando nacemos de nuevo, le pertenecemos completamente. Redescubrir la iglesia es darse cuenta o recordar por qué nos reunimos en primer lugar. Nos reunimos para adorar a Dios – Padre, Hijo y Espíritu Santo – quien nos ha salvado del pecado y la muerte. Eso es lo que cantamos. Eso es lo que enseñamos. Eso es lo que celebramos en el bautismo y en la Cena del Señor.

Sin conversión, sin ser nacidos de nuevo, no hay iglesia que redescubrir. Si Jesús no murió por nuestros pecados y no resucitó al tercer día, no se puede encontrar más esperanza dentro de la iglesia que afuera.

Adoptados como hijos e hijas

Una vez, hace años, estaba hablando con unos familiares sobre la iglesia. Sabían que había pasado por una poderosa experiencia de conversión a los quince años. Cuando nací de nuevo, todo cambió. Llegué a conocer a Dios en la Biblia y en oración. Disfrutaba cantar sobre Él y a Él. Quería que todos mis amigos supieran como nacer de nuevo. Aun así, algunos de estos familiares no entendían, aunque lo intentaban. Ellos querían poder identificarse conmigo. Así que me avisaban cuando asistían a la iglesia. Yo sabía que la iglesia no significaba nada para ellos, que solo estaban tratando de complacerme. Así que les dije que dejaran de ir a la iglesia. ¡Finalmente una idea que a ellos les gusto! Encontraron otras cosas que hacer los domingos en la mañana. Yo solo quería que ellos comprendieran que no hay un valor en sí al asistir a la iglesia si no te importa creer lo que estás cantando, escuchando o diciendo.

No estoy seguro de que siempre recomendaría "dejar de ir a la iglesia" como una estrategia evangelística. Pero en este caso era necesario, porque mis seres queridos asistían a una iglesia que no enseñaba claramente acerca de la conversión. Eventualmente conocieron a un pastor diferente que los invitó a creer en Jesús y nacer de nuevo. Ellos comenzaron a asistir a su iglesia y fueron bautizados. Y ahora, desde hace veinte años pertenecen a la familia espiritual.

La conversión puede ocurrir dentro o fuera de la iglesia. Puede ser una experiencia solitaria o una que compartes con amigos y compañeros. Pero siempre debe dar como resultado que te conectes con una iglesia.

Cuando la Biblia describe nuestra conversión como una adopción, vemos esta dimensión corporativa. A veces en nuestro idioma se opaca que tan frecuente la Biblia habla del crecimiento espiritual refiriéndose a ambos hombres y mujeres. Un claro ejemplo está en Gálatas 4:4-5: "Pero, cuando se cumplió el plazo, Dios envió a Su Hijo, nacido de una mujer, nacido bajo la ley, para rescatar a los que estaban bajo la ley, a fin de que fuéramos adoptados como hijos". La traducción al español retiene la palabra de género específico "hijos", reflejando así su posición hereditaria privilegiada en el mundo antiguo. Pero esta promesa aplica a todos los hombres y las mujeres que creen en Jesús. Cuando Dios te adopta, cuando te da el regalo de la fe en Su Hijo, te da la bienvenida a la familia espiritual de hermanos y hermanas, esto es, la iglesia.

Piénsalo así. En la adopción, un niño adquiere nuevos padres. Pero también adquiere nuevos hermanos. Cuando se convierte en hijo, también se convierte en hermano, dos nuevas relaciones, pero distintas. Cuando te conviertes en hijo, adquieres un lugar en la foto familiar junto a tus hermanos. Y eso es lo que pasa en la conversión. Tu Padre te pone en la foto familiar con tus nuevos parientes.

Veamos más de cerca la foto familiar. Dios es el Padre que "nos predestina para la adopción" (Ef 1:5). Antes del inicio de los tiempos, juntó a esta familia a través de eras y lugares. Dios es el Hijo, nuestro hermano mayor enviado por el Padre para rescatarnos de nuestra esclavitud al pecado y la muerte para que pudiéramos unirnos a la familia (Ro 8:15; Gá 4:4). Dios es el Espíritu que "da testimonio a nuestro espíritu de que somos hijos de Dios" (Ro 8:16). Así que, en la adopción, la foto familiar es una toma continua. Tres personas, el Padre, el Hijo y el Espíritu Santo, trabajan juntos en perfecta armonía por nosotros.

¿Y dónde estamos en la foto? Como hijos e hijas, somos herederos con Cristo (Ro 8:17; Gá 4:7). Eso significa que compartimos Su herencia (Ef 1:11, 14).

¿Qué incluye eso? El apóstol Pablo nos dice en Colosenses 1:16 que "todas las cosas fueron creadas por medio de Él y para Él". Tu tía abuela pudo haber sido generosa, pero nada puede superar esa herencia.

Las familias no siempre se llevan bien. Pero los lazos que comparten como miembros de una familia les ayudan a perseverar a través del conflicto. La sangre que comparten prevalece. Lo mismo es verdad para la iglesia. Porque hemos sido reconciliados con Dios a través del arrepentimiento y la fe, también hemos sido reconciliados entre nosotros. La sangre de Cristo prevaleció en la iglesia primitiva sobre las divisiones entre gentiles y judíos. Esa división hace que los problemas en las iglesias de hoy parezcan leves en comparación. Pero mira el milagro hecho a través de la conversión cuando judíos y gentiles creen el evangelio juntos:

> Por lo tanto, ustedes ya no son extraños ni extranjeros, sino conciudadanos de los santos y miembros de la familia de Dios, edificados sobre el fundamento de los apóstoles y los profetas, siendo Cristo Jesús mismo la piedra angular. En Él todo el edificio, bien armado, se va levantando para llegar a ser un templo santo en el Señor. En Él también ustedes son edificados juntamente para ser morada de Dios por Su Espíritu (Ef 2:19-22).

Cuando una iglesia se deleita junta en el gozo de la conversión, los creyentes adquieren una perspectiva de lo que aún les divide. El santo templo de Dios no se derrumba tan fácilmente.

Apartados

Una de las grandes responsabilidades que disfruto como anciano en mi iglesia es entrevistar a nuevos miembros. Durante los últimos cinco años más o menos, mis compañeros ancianos y yo le hemos dado la bienvenida a más de mil miembros nuevos. Eso significa que he escuchado muchas historias de conversión. Yo no me reúno para interrogar a aquellos que están interesados en la membresía, sino simplemente para asegurar que ellos han experimentado la conversión de la que hemos estado discutiendo en este capítulo y que pueden explicárselo a alguien más que quiera ser cristiano.

La historia de cada persona es única en términos del rol de la familia, la iglesia y el ministerio de jóvenes. Algunos se han involucrado en pecados específicamente perversos. La mayoría no. Rara vez me reúno con alguien que no se ha alejado de la iglesia por un tiempo. Usualmente la fe de las personas no se ve exactamente igual que la de las familias donde crecieron. Disfruto escuchar estas historias eclécticas acerca de la adopción de Dios, de cómo las personas nacieron de nuevo. Nunca me aburre.

Ocasionalmente me reúno con alguien que quiere ser parte de nuestra iglesia pero que claramente no ha nacido de nuevo. A veces le pido a la persona que me explique las buenas nuevas o el evangelio de Jesús y es como si le hubiera preguntado a mi hijo de seis años que me explique la teoría de la relatividad de Einstein. Obtengo solamente una mirada perdida. A menudo escucho una historia sobre la iglesia, la moralidad y las pruebas, pero nada específico acerca del pecado y la gracia salvadora de Jesús. Ningún cambio de muerte a vida, de juicio a resurrección.

Donde vivo, es muy común que las iglesias incluyan a muchos miembros que no se han convertido. Pocos parecen siquiera entender por qué es eso un problema. Pero la Biblia presenta la conversión como una transformación que separa al pueblo de Dios del mundo. Es una experiencia que altera la eternidad. Esto es a lo que los escritores del Antiguo Testamento a veces se refieren como el "nuevo pacto". Hablando en nombre de Dios, el profeta Jeremías prometió a Israel: "Este es el pacto que después de aquel tiempo haré con el pueblo de

Israel —afirma el Señor—: Pondré Mi ley en su mente, y la escribiré en su corazón. Yo seré su Dios, y ellos serán Mi pueblo" (Jer 31:33). Escribiendo más adelante y también hablando en nombre de Dios, el profeta Ezequiel anticipó lo que Jesús le dijo a Nicodemo: "Les daré un nuevo corazón, y les infundiré un espíritu nuevo; les quitaré ese corazón de piedra que ahora tienen, y les pondré un corazón de carne. Infundiré Mi Espíritu en ustedes, y haré que sigan Mis preceptos y obedezcan Mis leyes" (Ez 36:26-27).

Pasajes como ese no visualizan a la iglesia como un lugar donde las personas *intentan* ser buenos e *intentan* ayudarse los unos a los otros, solo si les conviene. No, el nuevo pacto penetra hasta el fondo de nuestros corazones. Causa un cambio radical. Nos hace darle la espalda a nuestra vida anterior y volvernos hacia Cristo. Nos provee el poder del Espíritu para obedecer la ley escrita en corazones nuevos.

Dentro de la iglesia, no podemos saber el verdadero estado espiritual de cada uno, lo que creen en lo profundo de sus corazones. Pero eso no cambia el diseño arquitectónico de la Biblia para nuestras iglesias, lo que pretende y cuáles deberían ser nuestras prácticas. Si has nacido de nuevo, si te has arrepentido de tus pecados y has creído en Jesús, puedes pertenecer a la iglesia. No necesitas conformarte sin entender o sin un propósito, imaginando junto a mi yo más joven un futuro sin iglesia. Cuando te conviertes, no puedes evitar adorar. Anhelas reunirte y adorar junto con los otros creyentes en Jesús.

Hablando de reuniones…

Lecturas recomendadas

Keller, Timothy. *El Dios pródigo: Recuperemos el corazón de la fe cristiana* (Medellín, Colombia: Poiema Publicaciones, 2021).

Lawrence, Michael. *Conversion: How God Creates a People* [*La conversión: cómo Dios crea un pueblo*] (Wheaton, IL: Crossway, 2017)

Una iglesia es un grupo de cristianos

$\downarrow$

**que se reúnen como una embajada terrenal
del reino celestial de Dios**

$\downarrow$

para proclamar las buenas nuevas
y mandatos de Cristo el Rey

$\downarrow$

para afirmarse unos a otros como ciudadanos
Suyos a través de las ordenanzas

$\downarrow$

y para mostrar la propia santidad
y el amor de Dios

$\downarrow$

a través de personas unidas y diversas

$\downarrow$

en todo el mundo

$\downarrow$

siguiendo las enseñanzas
y el ejemplo de los ancianos

3

¿Realmente necesitamos reunirnos?

Jonathan Leeman

Noticias de protestas políticas dominaron los titulares estadounidenses en 2020 y principios de 2021. Los de la izquierda política decían estar protestando a causa de la brutalidad policial contra los grupos minoritarios, mientras que los de la derecha decían estar protestando porque la elección presidencial había sido robada.

Cuando miles de ciudadanos se reúnen y marchan con propósitos políticos, el público pone atención. Se presentan los reporteros. Se encienden las cámaras. Los políticos dan entrevistas. Y las personas en casa observan su teléfono haciendo clic en cada enlace tras enlace. Luego, después de que hayan pasado algunas semanas, una legislatura podría aprobar nuevas leyes. Una agencia gubernamental podría promulgar nuevas políticas. Y la conciencia de una nación podría cambiar, aunque sea solo un poco.

Los grupos de personas son poderosos, no solo por lo que pasa cuando se reúnen, sino también por lo que ese grupo *se convierte* al reunirse. Las personas en ese grupo pueden convertirse en un movimiento. Una fuerza. El inicio de un cambio en el mundo, para bien o para mal. El todo es más que la suma de sus partes.

No es de sorprenderse que en lo académico se escriban libros sobre la sicología de las multitudes. Las personas se presentan con sus deseos o agravios. Un orador carismático afirma esos deseos y agravios. Las personas voltean a ver y miran a otros asintiendo con la cabeza. Escuchan gritos de otras personas que están de acuerdo. Los individuos descubren que no están solos. Sus deseos crecen. Incluso podrían ser movidos a la acción, para construir o derribar.

¿Qué hace que las reuniones sean tan poderosas? El hecho de estar físicamente *presente*. Ves. Escuchas. Sientes. A diferencia de ver algo a través de una pantalla, una reunión literalmente te rodea. Define completamente tu realidad. Dios nos hizo en alma y cuerpo, y de algún modo, misteriosamente, los entrelaza para que lo que afecta al cuerpo afecte también al alma. En una reunión experimentamos lo que otras personas aman, odian, temen y creen, y nuestro sentido de lo que es *normal* y *correcto* puede cambiar relativamente rápido. Lo que la multitud ama, odia, teme y cree se convierte en algo nuestro. Esto no es algo sorprendente. Dios también nos hizo criaturas conforme a Su imagen (ver Gn 1:26-28). Nos creó para reflejar Su propia justicia, pero hemos escogido reflejar otras cosas. Así es como se forma una cultura. Reflejamos, imitamos o copiamos a las demás personas que nos rodean en buenas y malas maneras. Las reuniones simplemente aceleran el proceso.

Pero las reuniones no solo son poderosas para las personas que están dentro de ellas. También afecta a los que están afuera. Tal vez has estado caminado por un parque, has visto una multitud y has volteado a ver en esa dirección. *¿Qué está pasando?* Te preguntas. Así que caminas hacia la parte de atrás de la multitud y te asomas a ver.

¿Por qué? Porque te preguntabas si algo estaba pasando y no querías perdértelo, algo importante o emocionante.

O tomas tu teléfono y ves la notificación de una noticia: "Se reúnen 200 mil personas en Washington para una manifestación". Y piensas: *vaya, esto suena como algo importante.* Y das clic en el enlace.

Las reuniones cambian vidas, cambian culturas y cambian el mundo. Son poderosas.

Las iglesias se reúnen y son reuniones

Como una protesta política, la reunión en la iglesia moldea a las personas. Nos forma a cada uno como individuos y nos forma colectivamente en una cultura, fuerza o movimiento. Nos moldea como la ciudad de Dios. Y así como una protesta, las reuniones nos ofrecen un testimonio visible para que el mundo vea. Le dice al mundo que somos ciudadanos del cielo. *¿Qué está pasando ahí?* Se preguntan.

Un pastor amigo nuestro recientemente observó que, cuando terminó la cuarentena por el COVID-19, su iglesia nuevamente descubrió cuán profundamente "espiritual" es reunirse. Esta fue la palabra que usó: "espiritual". Él tiene razón, nuestras reuniones son espirituales. Sin embargo, irónicamente son espirituales, al menos en parte, porque son físicas.

Dios siempre ha querido que Su pueblo esté físicamente reunido con Él. Por eso creó a Adán y a Eva con cuerpos físicos y caminó con ellos en el jardín del Edén. Los echó de Su presencia solo cuando pecaron.

Dios luego reunió al pueblo de Israel en la tierra prometida y les dijo que se reunieran regularmente en el templo donde Él habitaba (ver Dt 16:16; 31:10-12, 30). Nuevamente pecaron y nuevamente los echó de la tierra.

Quizás la prueba más clara del deseo de Dios de estar reunido con Su pueblo es la encarnación. El Hijo de Dios tomó forma de hombre.

El que estaba *con* Dios y el que era Dios (Jn 1:1-2) se hizo hombre para poder estar *con* nosotros (Jn 1:14). Y prometió edificar Su iglesia. Esta palabra traducida literalmente significa "reunir" (Mt 16:18).

Tal vez nunca te preguntaste por qué Jesús escogió la palabra iglesia. Los judíos en el tiempo de Jesús se reunían en sinagogas, pero Jesús no usó la palabra "sinagoga". El utilizó la palabra "iglesia". ¿Por qué? Podemos responder esto mirando hacia atrás y hacia adelante en la historia de la Biblia. Mirando hacia atrás, aprendemos que se profetizó que Jesús reuniría a Su pueblo que había sido esparcido por el exilio (Jl 2:16). Mirando hacia adelante, entendemos que Jesús quería estas asambleas —estas iglesias— para anticipar la asamblea final donde Dios morará con Su pueblo una vez más: "¡Aquí, entre los seres humanos, está la morada de Dios! Él acampará en medio de ellos" (Ap 21:3; también Ap 7:9-17).

Nuestras iglesias locales reunidas representan la presencia de Dios con el hombre, donde el cielo viene a la tierra. "Porque donde dos o tres se reúnen en Mi nombre, allí estoy Yo en medio de ellos" (Mt 18:20; ver Mt 18:17). Esto no sucede en Internet o en nuestras mentes. Esto sucede "cuando te reúnes como iglesia", tomando prestada una frase de Pablo que sugiere que hay un sentido en el cual una iglesia no es una iglesia hasta que se reúne (1Co 11:18).

A veces a las personas les gusta decir que "una iglesia son personas, no un lugar". Es más preciso decir que una iglesia son personas reunidas en un lugar. Reunirse regularmente hace que una iglesia sea una iglesia. Esto no significa que una iglesia deja de ser una iglesia cuando las personas no están reunidas, como tampoco un equipo de fútbol deja de ser equipo cuando los miembros no están jugando. El punto es que, el reunirse de manera regular es necesario para que una iglesia sea una iglesia, así como un equipo tiene que reunirse y jugar para poder ser un equipo.

Jesús organizó el cristianismo de esta forma. Quiere centrar nuestra vida en torno a reunirnos regularmente, vernos, aprender unos de otros, animarnos y corregirnos los unos a los otros y amarnos unos a otros. Cosas espirituales pasan cuando los cristianos están hombro a hombro, respiran el mismo aire, unen sus voces para cantar, escuchan el mismo sermón y participan del único pan (ver 1Co 10:17). Miras a tu alrededor y piensas, *no estoy solo en esta fe. ¿Qué podríamos hacer juntos?*

Eso es mucha teología. Pero viene con una lección. Esto explica por qué el autor de Hebreos escribe:

> Preocupémonos los unos por los otros, a fin de estimularnos al amor y a las buenas obras. No dejemos de congregarnos, como acostumbran a hacerlo algunos, sino animémonos unos a otros, y con mayor razón ahora que vemos que aquel día se acerca.

> Si después de recibir el conocimiento de la verdad pecamos obstinadamente, ya no hay sacrificio por los pecados. Solo queda una terrible expectativa de juicio, el fuego ardiente que ha de devorar a los enemigos de Dios. (Heb 10:24-27)

En la reunión, nos animamos unos a otros a amar y a hacer buenas obras. Nos motivamos unos a otros. Y observa la advertencia del autor: Si continuamos pecando al no hacer estas cosas – incluyendo no reunirnos – debemos esperar el juicio de Dios. ¡Caramba! Realmente se toma esto en serio.

El punto no es que el asistir a una iglesia *te hace* un cristiano. El punto es que asistir a una iglesia es lo que hacen los cristianos. Demuestra que el Espíritu de Cristo está en nosotros y por ende deseamos estar con el pueblo de Cristo.

Centrado en la palabra de Dios

Unos capítulos atrás, relaté que pasé de no asistir a la iglesia a asistir tres veces a la semana cuando me mudé a Washington, D.C. Antes de esos días, había evadido al pueblo de Dios y hasta me sentía avergonzado de que me vieran con ellos. Sin embargo, de repente y de manera extraña, *quería* estar con ellos. Cada semana, esperaba estar con la iglesia.

¿Qué motivó este cambio? Principalmente, quería escuchar de Dios. Después de todo, *eso* es lo que diferencia a las reuniones de iglesia de las protestas políticas o cualquier otra reunión. Nos reunimos alrededor de las mismas palabras de Dios: "Porque al oír ustedes la palabra de Dios que les predicamos, la aceptaron no como palabra humana, sino como lo que realmente es, palabra de Dios, la cual actúa en ustedes los creyentes" (1 Ts 2:13). En la reunión de la iglesia, Dios habla, y los ciudadanos del planeta tierra pueden escuchar de Dios y ver a Su pueblo creciendo en torno a Su Palabra. Cuando los no creyentes entran a la reunión, Pablo promete, que serán convencidos de pecado, los secretos de sus corazones serán descubiertos, y se rendirán y adorarán a Dios, exclamando, "¡Realmente Dios está entre ustedes!" (ver 1 Co 14:24-25).

El reto del COVID-19 – No reunirse

La pandemia por el COVID-19 presentó un desafío a las iglesias alrededor del mundo precisamente porque, en tantos lugares, los santos tenían dificultad para reunirse y aprender a valorar la palabra de Dios juntos. Después de un par de meses de no reunirnos durante los primeros días del COVID-19, sentí como si estuviera perdiendo el control de mi iglesia. Los amigos me preguntaban, "¿cómo le va a tu iglesia?". Me costó mucho responder. Estaba haciendo llamadas regulares y enviando mensajes de texto a miembros individuales, pero no podía pensar en todo el cuerpo de Cristo. La iglesia se sentía como charcos de agua después de la tormenta, esparcidos por todo el lugar, algunos charcos por aquí y otros por allá.

Los ancianos se preocupaban principalmente por los miembros espiritualmente débiles que estaban luchando en su fe y enfrentándose a tentaciones específicas. Nos preocupábamos por los que parecían estar espiritualmente a la deriva, aquellos con un pie fuera de la puerta.

Sin embargo, el no reunirse nos afectó a todos, a los espiritualmente maduros y los no maduros por igual. Cada uno de nosotros necesita ver y escuchar a nuestros compañeros santos de forma regular. De lo contrario, solo observamos los patrones de los colegas del trabajo, los amigos de la escuela o los personajes de televisión.

Cuando comenzó la pandemia, muchas iglesias transmitían en vivo sus servicios, y muchos exaltaron el duradero valor de la "iglesia virtual". Pastores que anteriormente habían condenado la idea abrieron "campus virtuales" y los dotaron de pastores a tiempo completo, prometiendo que los campus continuarían de forma indefinida. Algunos dijeron que esto era un avance emocionante en la historia de cumplir con la Gran Comisión.

Y, aun así, nos preguntamos: ¿qué hace falta cuando nuestra experiencia de "iglesia" es nada más que una transmisión en vivo semanal? Para empezar, piensas menos en tus compañeros miembros de la iglesia. Ellos no vienen a tu mente. No te topas con ellos ni tienen conversaciones rápidas que llevan a largas conversaciones durante la cena. Más allá de eso, te remueves del camino de animar, rendir cuentas y amar.

Gracias a Dios que podemos "descargar" las verdades bíblicas de forma virtual. Pero agradezcamos a Dios que la vida cristiana es más que solo transferir información. Cuando la iglesia es únicamente virtual, no podemos sentir, experimentar y ser testigos de esas verdades haciéndose realidad en las vidas de la familia de Dios, lo que fortalece nuestra fe y crea lazos de amor entre los hermanos y hermanas. El concepto de iglesia virtual es contradictorio.

Piénsalo. Tal vez toda la semana has luchado con odio oculto hacia tu hermano. Pero luego su presencia en la mesa del Señor te convence de pecado y te lleva a confesarlo. Luchas con sospecha hacia una hermana. Pero luego la ves cantando las mismas canciones de adoración y tu corazón se mueve hacia ella. Luchas con ansiedad por lo que está sucediendo en la política de tu país. Pero luego el predicador declara que Cristo viene en victoria a establecer Su justicia y escuchas a tu alrededor gritos de "¡Amén!", y recuerdas que perteneces a la ciudadanía celestial alidada en esperanza. Te sientes tentado a mantener tu lucha oculta. Pero luego la amable e insistente pregunta de la pareja mayor durante el almuerzo —"¿cómo estás realmente?"— te trae a la luz.

Nada de esto puede ser experimentado de manera virtual. Dios nos hizo criaturas físicas y relacionales. Al final, la vida cristiana y la vida de iglesia no se puede descargar de Internet. Se debe observar, escuchar, entrar en y seguir. Por lo tanto, Pablo exhortó a Timoteo a cuidar su vida y doctrina, ya que ambas serían cruciales para salvarlo a él y a quienes lo escuchaban (1Ti 4:16).

No es una sorpresa que la iglesia virtual o a través del Internet está creciendo en popularidad. Es conveniente y – honestamente – te permite evitar las relaciones problemáticas. Lo entendemos; esa es una fuerte tentación. Cuando aún estaba soltero, me mudé a otra ciudad. No tenía iglesia ni conocía a nadie. Unos días después de llegar, un pensamiento me pasó por la mente, *puedo salir y hacer lo que quiera. Nadie está aquí para verme, escucharme y preguntarme nada. Eso es algo agradable.* Gracias a Dios, el Espíritu Santo inmediatamente me reprendió: "Sabes de dónde viene ese pensamiento. No, ese no es un impulso que debes seguir". ¡Cuánta gracia! Agradezco que el Espíritu

Santo haya frenado mi corazón ese día. Sin embargo, no te pierdas la lección: por lo general Él usa a los hermanos y hermanas en la iglesia para ayudarnos a luchar contra la locura y la tentación.

Es verdad, reunirse con la iglesia puede ser incómodo, pero el amor también es incómodo. Las relaciones son caóticas, pero el amor también es caótico. Las conversaciones vulnerables asustan, pero el amor también asusta.

Tememos que el empuje hacia la iglesia virtual sea un empuje hacia individualizar el cristianismo. Podemos debatir la sabiduría de usar esta herramienta por un tiempo limitado en una situación de emergencia, como lo es la pandemia. Las ciudades de la costa de los Estados Unidos no podían reunirse los domingos en la tarde durante la Segunda Guerra Mundial debido a los apagones impuestos por el gobierno. Es justificado. Sin embargo, el ofrecer o alentar la iglesia virtual como una opción permanente, aún con buenas intenciones, lastima el discipulado cristiano. Entrena a los cristianos a pensar en su fe en términos autónomos. Les enseña que pueden seguir a Jesús como miembros de la "familia de Dios", en un sentido abstracto, sin enseñarles lo que significa ser parte de la familia y hacer sacrificios por la familia.

En ese sentido, los pastores deberían motivar a las personas a alejarse de la "asistencia" virtual tanto como sea posible. Recientemente les dije a mis compañeros ancianos, "hermanos, necesitamos encontrar una forma amable de recordarles a nuestros miembros que la opción de la transmisión en vivo no es buena para ellos. No es buena para su discipulado y no es buena para su fe. Queremos que esto les quede claro, para que no se vuelvan complacientes y no se esfuercen para reunirse con nosotros, si pueden hacerlo".

El mandato de la Biblia de reunirnos no está destinado para ser una carga (ver Heb 10:25; 1Jn 5:3), sino para el bien de nuestra fe, amor y gozo.

Embajada del cielo

Iniciamos este capítulo comparando la reunión de la iglesia con una manifestación. Pero hay una metáfora mejor que nos preparará bien para los próximos capítulos. Las iglesias reunidas son *embajadas del cielo*.

Una embajada es la oficina autorizada oficialmente por una nación dentro de las fronteras de otra nación. Representa y habla en nombre de la nación extranjera. Representa su gobierno. Por ejemplo, si alguna vez visitas Washington, D.C., puedes caminar a lo largo de Embassy Row, donde se encuentran embajadas de todo el mundo. Verás la bandera y embajada japonesa, luego la del Reino Unido, luego la de Italia, luego la de Finlandia. Cada embajada representa una nación del mundo y su gobierno. Cuando entras a una de estas embajadas, escucharás el idioma de la nación que representa. Entre su personal, experimentarás su cultura. Si asistieras a una cena de la embajada, probarías sus delicias culinarias. Y si te asomaras a las oficinas de atrás – asumimos – aprenderías su negocio diplomático.

¿Qué es una iglesia reunida? Es una embajada del cielo. Al entrar a nuestra iglesia o la tuya ¿qué deberíamos encontrar? Una nación completamente diferente: residentes, exiliados, ciudadanos del reino de Cristo. Dentro de dichas iglesias, escucharás las palabras del Rey de los cielos siendo declaradas. Escucharás el lenguaje celestial de fe, esperanza y amor. Probarás el banquete celestial del final de los tiempos a través de la Cena del Señor. Y te encomendarán los asuntos diplomáticos, ya que eres llamado a llevar el evangelio a tu nación y a todas las otras naciones.

No solo eso, deberías experimentar el inicio de la cultura celestial. Los ciudadanos celestiales en esta embajada son mansos y de espíritu humilde. Al seguir a Cristo, tienen hambre y sed de justicia. Son de corazón puro. Son pacificadores que dan la otra mejilla, caminan la milla extra y dan su camisa y chaqueta si lo pides. Ni siquiera ven a una mujer con lujuria y mucho menos cometen adulterio; ni siquiera odian, mucho menos asesinan.

Jesús no pidió a las Naciones Unidas, a la Corte Suprema de los Estados Unidos o al departamento de filosofía de la Universidad de Oxford que lo representara y declarara Sus juicios. Él pidió a lo humilde, lo despreciado, lo que no es nada (1Co 1:28). Pidió a tu iglesia y a la nuestra.

Tristemente nuestras iglesias no siempre declaran ni representan bien al cielo. Te decepcionaremos y diremos cosas insensibles. Incluso pecaremos contra ti. Nuestras reuniones son solo señales y presagios de esa futura reunión celestial, así como los pequeños pedazos de pan que recibimos en la Cena del Señor son señales del banquete celestial. No son las cosas en sí mismas. Sin embargo, anhelamos señalar al centro del cielo, que es Cristo mismo. Él nunca peca ni defrauda. La buena noticia es que los pecadores como tú pueden unirse a nosotros en esta misión, si tan solo confiesas tus pecados y le sigues.

Lecturas recomendadas

Kim, Jay Y. *Analog Church: Why We Need Real People, Places, and Things in the Digital Age* [*La iglesia analógica: Por qué necesitamos personas, lugares y cosas reales en la era digital*] (Downers Grove, IL: InterVarsity Press, 2020).

Leeman, Jonathan. *One Assembly: Rethinking the Multisite and Multiservice Church Models* [*Una asamblea: Repensando el modelo de iglesia multisitio y multiservicio*] (Wheaton, IL: Crossway, 2020).

Una iglesia es un grupo de cristianos

↓

que se reúnen como una embajada terrenal
del reino celestial de Dios

↓

**para proclamar las buenas nuevas
y mandatos de Cristo el Rey**

↓

para afirmarse unos a otros como ciudadanos
Suyos a través de las ordenanzas

↓

y para mostrar la propia santidad
y el amor de Dios

↓

a través de personas unidas y diversas

↓

en todo el mundo

↓

siguiendo las enseñanzas
y el ejemplo de los ancianos

4

¿Por qué son centrales la predicación y la enseñanza?

Collin Hansen

¿Qué le da el derecho a cualquier predicador de pararse al menos una vez por semana durante, digamos, media hora y asegurar que habla en nombre de Dios? Ni siquiera el presidente de los Estados Unidos presume dicha autoridad. Nadie piensa que un maestro de matemáticas o un profesor de literatura merece este privilegio. ¿Y, de todas formas, cuántos otros monólogos unidireccionales te encuentras regularmente en estos días? Lo que antes era popular, las cosas de entretenimiento itinerante en el mundo antiguo, difícilmente atraerían a una multitud en cualquier ciudad hoy, y mucho menos allanarían el camino hacia una lucrativa carrera como orador.

Los predicadores toman su autoridad no de un conocimiento superior, un poder político o un florecimiento retórico. Ellos la toman únicamente de la Palabra de Dios. "Predica la palabra", le dijo Pablo a su joven discípulo Timoteo, el pastor en Éfeso; "persiste en hacerlo, sea o no sea oportuno; corrige, reprende y anima con mucha paciencia, sin dejar de enseñar" (2Ti 4:2).

Los predicadores no tienen autoridad si están comentando la última serie de Netflix. No tienen autoridad si les estás preguntando por la recomendación de un restaurante. No tienen autoridad si están compartiendo ideas sobre una teoría de conspiración que vieron en Facebook. Pueden dar opiniones buenas, interesantes o que valen la pena. Pueden tener un buen consejo si lo necesitas, digamos, para ayudarte a encontrar trabajo. Sin embargo, obtienen una especial autoridad para hablar en nombre de Dios solo cuando predican Su Palabra.

Nadie es mejor predicador que Jesús. Y nadie puede predicar un mejor mensaje que el Sermón del Monte. Su verdad y poder aún cambian vidas y nos mueven hoy. Pero a sus oyentes originales les pareció diferente de lo que normalmente escuchaban de los maestros. Mateo nos dice, "cuando Jesús terminó de decir estas cosas, las multitudes se asombraron de Su enseñanza, porque les enseñaba como quien tenía autoridad, y no como los maestros de la ley" (Mt 7:28-29). Los escribas eran los maestros oficiales de Israel. ¿Entonces por qué la multitud no respetaba su autoridad? Esto era porque enseñaban sus propios pensamientos. Ellos agregaban sus propias leyes a la ley de Dios. Jesús, siendo Dios mismo, enseñó con autoridad como alguien que escribió y obedeció la ley perfectamente.

A medida que redescubrimos la iglesia, estamos buscando una autoridad divina y no simplemente sabiduría humana. Tenemos más que suficiente sabiduría humana en la actualidad. Nunca habíamos tenido tan amplio acceso. Los libros de autoayuda dominan las listas de los mejor vendidos. Los podcasts te prometen una mejor versión de ti. Nunca llegarás al final del Internet. Así que una iglesia que ofrece sabiduría humana se enfrenta a una dura competencia. ¿Por qué escuchar a un pastor local en lugar de suscribirme a un canal de YouTube? ¿Por qué levantarse el domingo en la mañana en lugar de ver las noticias políticas con políticos poderosos?

Nos levantamos y nos reunimos semanalmente con la iglesia porque es allí donde escuchamos acerca del Rey divino, de Sus buenas nuevas y de Su consejo para nuestras vidas. Escuchamos de Él cada vez que abrimos nuestras Biblias, sí, pero escuchamos de Él *juntos* en una reunión semanal. Allí somos formados *juntos* como el pueblo. Esta es la razón por la cual la predicación y la enseñanza son centrales para nuestras reuniones como iglesia. Centrar nuestras reuniones en torno a la Palabra de Dios cultiva la cultura celestial que debe caracterizarnos como un pueblo distinto, para que podamos, a su vez, ser la sal y la luz en nuestras respectivas ciudades y naciones.

Con ayuda del Espíritu Santo, conoces la sabiduría divina cuando la escuchas. Y no es como la sabiduría humana de los autonombrados escribas, quienes son tan comunes en las redes sociales y en los libros más vendidos. La autoridad del predicador cubre todo lo que Dios ha dicho, pero no va más allá de lo que Él ha dicho. Los predicadores pueden ser culpables de decir mucho o decir poco. Eso significa que la Palabra es la base, pero también el límite del sermón.

Mark Dever a menudo compara el trabajo del predicador con la tarea de un cartero. El cartero no se acerca a tu puerta, abre tu correspondencia, agrega unas anotaciones extra, sella nuevamente el sobre y luego coloca la correspondencia en tu buzón. El cartero simplemente entrega la correspondencia. Así es con el predicador. La Palabra nos ayuda a discernir su debida autoridad. Él tiene la autoridad de entregar el mensaje. Y nada más.

Los gurús de autoayuda carecen de autoridad porque tienen intereses personales en decirte lo que quieres oír, de lo contrario no comprarías sus productos o te suscribirías a sus programas. Dichos escribas van más allá de la Palabra de Dios y se adjudican autoridad que no les pertenece. Ellos buscan vincular tu conciencia en asuntos que no se pueden determinar solo con las Escrituras. Ellos tratarán de decirte con quién salir, por quién votar, en qué escuela deben estudiar tus hijos o qué tipo de ropa te hace ver más santo. En todas estas cosas, puede que verdaderamente transmitan sabiduría, pero no debemos igualar un buen consejo con la autoridad divina. El sermón no es el lugar para reflexiones humanas sino para el poder divino.

Así dice el Señor

A través del Antiguo Testamento, los profetas repetían esta frase: "Así dice el Señor". Hablaban con autoridad porque Dios les confió Su mensaje. Ellos hablaban en Su nombre. Eso significaba que los profetas no siempre decían lo que el pueblo quería escuchar. De hecho, era común que los reyes castigaran a los profetas cuando no les gustaba lo que escuchaban.

Por ejemplo, el rey Sedequías permitió que arrojaran al profeta Jeremías a una cisterna y lo dejaran allí para morir de hambre (Jer 38:9). ¿Por qué hizo esto el rey? Jeremías había dicho a los judíos en Jerusalén que, si se quedaban en la ciudad, los caldeos los matarían. Él tenía razón, por supuesto. Pero no era lo que el rey y los comandantes de su ejército querían escuchar. Era malo para la moral (Jer 38:2-4). Ellos culparon al mensajero para no tener que prestarle atención al mensaje. Preferían a los profetas que decían mentiras reconfortantes. A Dios, por otro lado, no le agradan las mentiras: "Haré que coman alimentos amargos y que beban agua envenenada, porque los profetas de Jerusalén han llenado de corrupción todo el país" (Jer 23:15).

A través del profeta Ezequiel, Dios reprendió a los líderes o "pastores" de Israel, quienes le mentían al pueblo que se les había encomendado proteger: "¡Ay de ustedes, pastores de Israel, que solo se cuidan a sí mismos! ¿Acaso los pastores no deben cuidar al rebaño? Ustedes se beben la leche, se visten con la lana, y matan las ovejas más gordas, pero no cuidan del rebaño" (Ez 34:2-3).

Las experiencias de Israel nos advierten que a medida que redescubrimos la iglesia, estamos propensos a buscar líderes que nos digan solo lo que queremos oír. Y los líderes se sienten tentados a darle a las personas lo que quieren, porque es más fácil ganarse la vida de esa manera. Hasta es posible que los predicadores suenen como audaces expositores de la verdad cuando solo hablan con dureza sobre personas que no están en sus iglesias. Pueden sonar valientes, pero en realidad nunca retan a las personas que pagan sus salarios.

De hecho, ese puede ser el reto más grande que enfrentan la mayoría de los predicadores. ¿Cómo pueden predicar la Biblia y nada más que la Biblia sin pisar los talones de más de uno? ¿Cómo pueden decir cosas duras y verdaderas a quienes controlan su sustento y podrían removerlos a ellos y a sus familias de sus casas y de sus comunidades?

Enséñate a ti mismo la Palabra

Dada esta tentación para los predicadores, es importante que el resto de nosotros estemos dispuestos a escuchar y prestar atención a la Palabra, incluso si no siempre nos gusta o si no estamos inicialmente de acuerdo con ella. Conforme redescubres la iglesia, estás buscando a predicadores que no solo te hagan ser dependiente de ellos para entender los conocimientos bíblicos ocultos, sino que te enseñen cómo enseñarte a ti mismo la Palabra.

Los mejores predicadores no harán que te asombres por sus propias habilidades. Sino que te enseñarán la gloria de Dios como es mostrada en Su Palabra. Y cuando ves a Dios de esa forma, querrás tanto de Él como puedas tener. Crece tu anhelo por leer y aplicar la Palabra por ti mismo. Entonces entras a un ciclo virtuoso de retroalimentación. A medida que los predicadores te ayudan a conocer y amar la Palabra, desarrollarás más ese gusto por ti mismo y desarrollarás mejor el gusto por la predicación sólida.

Esa relación entre los predicadores y los miembros de la iglesia es la clave para cualquier iglesia saludable, porque no hay solo un maestro en la iglesia. Todos nosotros hemos sido llamados a enseñar la Palabra conforme a nuestra capacidad. Por ejemplo, todos los ancianos, no solo el predicador, deben "ser capaces de enseñar" como parte de su liderazgo (1Ti 3:2). Los padres enseñan la Palabra a sus hijos (Dt 6:7), y las mujeres mayores enseñan a las más jóvenes (Tit 2:3-5).

Piensa en el trabajo de la Palabra en la iglesia a través de por lo menos cuatro movimientos: (1) el predicador trae la Palabra a toda la iglesia; (2) los miembros de la iglesia responden al tomar la Palabra de Dios en sus bocas y corazones a través de los cantos y la oración corporativa; (3) todos los miembros de la iglesia se enseñan la Palabra a sí mismos; y (4) varios miembros de la iglesia enseñan la Palabra los unos a los otros y a la siguiente generación. Eso significa que cada miembro de la iglesia ha sido llamado en cierta capacidad como estudiante y también como maestro de la Palabra.

Con esta visión de la Palabra, las iglesias se protegen a sí mismas de uno de los problemas más comunes de la actualidad, el cual los escritores de la Biblia anticiparon y ellos mismos soportaron. Pablo le dijo a Timoteo que advirtiera a los Efesios "de prestar atención a leyendas y genealogías interminables. Esas cosas provocan controversias en vez de llevar adelante la obra de Dios que es por la fe" (1Ti 1:4). En la segunda carta de Pablo a Timoteo, les advirtió también, "porque llegará el tiempo en que no van a tolerar la sana doctrina, sino que, llevados de sus propios deseos, se rodearán de maestros que les digan las novelerías que quieren oír. Dejarán de escuchar la verdad y se volverán a los mitos" (2Ti 4:3-4). Vemos entonces que una iglesia enfocada en la Palabra estará menos interesada en "sus propias pasiones", o en especulaciones que aparentan conocimiento pero que en realidad indican necedad. Pablo podría haber pensado que el mismo

Satanás creó el Internet como una herramienta para dividir y distraer a las iglesias con un sinfín de especulaciones.

Piensa en el desafío único que tiene el predicador hoy en día. Puede que tenga hasta cuarenta y cinco o incluso sesenta minutos de tu atención esta semana. Y eso es si tu atención no está dividida entre los niños, el sueño y los mensajes de texto apareciendo mientras tu estas tratando de ver el sermón en casa. Pero las redes sociales, los videos y los podcasts, por lo visto, obtienen cada momento libre entre el trabajo, ir en el auto y dormir. ¡Es por eso que se siente como si nuestras iglesias no estuvieran en la misma página! No estamos priorizando las mismas páginas de las Escrituras. Las iglesias que emergerán más fuertes después de el COVID-19 serán aquellas que diferenciaron entre la Palabra de Dios predicada con poder y las innumerables otras palabras que competían por nuestra decreciente atención.

¿Qué es un buen sermón?

A medida que redescubres la iglesia, te encontrarás una variedad de estilos y duración de sermones. No encontrarás en la Biblia una fórmula específica. Toda la Biblia es inspirada por Dios, pero puedes percibir las personalidades de los diferentes autores. Pablo no suena como Pedro, quien a su vez no suena como Juan. Podrás preferir tus sermones con fervor emocional. Podrás preferir tus sermones con abundantes referencias al hebreo o el griego. Cualquiera de los dos enfoques en el mismo sermón puede ser usado por Dios para movernos hacia el amor y la obediencia.

Puedes también escuchar a los predicadores debatir si los sermones deben ser temáticos o expositivos. Algunas situaciones pueden justificar un sermón temático sobre las próximas elecciones, la pandemia global o la injusticia racial, por citar algunos temas de interés. Pero demasiados mensajes temáticos hacen que se corra el riesgo de erosionar la autoridad de los predicadores al tentarlos a torcer el significado de la Biblia para exponer sus puntos de vista. Creemos que es mejor que los sermones expositivos sean la dieta constante de la iglesia, los cuales *exponen* el texto haciendo que el punto del pasaje bíblico sea el punto del mensaje. Como lo han dicho muchos predicadores, Pablo no manda a los predicadores solo a predicar, sino a predicar la *Palabra*.

La predicación secuencial semana tras semana a través de los versículos y capítulos de la Biblia también permite que Dios, no el predicador, establezca la agenda. Recuerda, el predicador es el cartero entregando la correspondencia. "Esta semana vamos a aprender lo que Dios tiene para nosotros en Romanos 1, la próxima semana Romanos 2 y la siguiente semana Romanos 3". Cuando escuchamos la Biblia de esta forma, descubrimos que la agenda de Dios no se alinea precisamente con la nuestra. Por ejemplo, puede haber cosas en Romanos que el predicador no sienta ganas de predicar. Pero ahí está el sobre con la correspondencia, una carta de parte de Dios, pidiendo ser abierta.

¿Después de todo, realmente queremos la agenda de quién, la nuestra o la de Dios? Sus caminos son más altos y mejores (Is 55:9). Debemos tomar nuestras señales de Él y no del mundo. Algo especial sucede cuando escuchamos hablar al Espíritu a través de la Palabra de Dios cuando el predicador retoma donde lo dejó la semana anterior.

Cuando redescubres la iglesia, probablemente debatas entre sermones grabados y en vivo. Hace años tuve una conversación con un predicador especialmente talentoso. En otra vida hubiera sido un exitoso comediante. De hecho, estudiaba a los comediantes para aprender cómo interesar a la audiencia mientras predicaba. También entendía los conceptos bíblicos y teológicos con profundidad y podía explicarlos creativamente a audiencias escépticas. Su iglesia se había expandido a varios lugares de la región e incluso del país al transmitir sus sermones grabados en lugar de tener predicadores locales en persona. Jamás olvidaré su razonamiento. Dijo que no tenía sentido darles a las personas un predicador tipo B cuando podían tener a uno tipo A como él. Si su objetivo era acumular una multitud que le siguiera, no podía discutir con él.

Pero reflexionando después, me di cuenta de que su argumento aspiraba demasiado. En el escenario que sugería, él no estaba compitiendo contra sus pastores jóvenes o interinos. Él estaba compitiendo contra cualquier otro pastor, vivo o muerto. ¿Por qué no transmitir grabaciones de predicadores tipo A+ como Billy Graham? ¿Qué pasa si las iglesias alrededor del mundo contrataran a un actor para interpretar de una buena forma a Charles Spurgeon? Tal vez podríamos organizar un torneo de grupos del tipo que se suele realizar en las eliminatorias deportivas universitarias, y pedirle a los cristianos que votaran, por rondas, por su predicador favorito hasta que definiéramos al mejor orador de todos. Así nadie tendría jamás a un predicador tipo B- (o peor). Tendríamos solo lo mejor, si eso es lo que Dios piensa que es lo mejor para nosotros.

Pero no lo es. El mejor predicador para ti es el predicador que es fiel a la Palabra de Dios. Aún mejor si está dispuesto a reunirse contigo para un café o visitarte en el hospital. Hay una razón por la cual no solo leemos las Escrituras juntos en cada servicio de adoración. La predicación lleva la autoridad de la Palabra de Dios, a través de la personalidad y experiencia mediadora del maestro, a un contexto contemporáneo con demandas particulares locales y personales. El hombre que acabo de mencionar puede ser un mejor predicador que el tuyo, pero tu predicador conoce mejor tu iglesia. Y eso cuenta mucho cuando se trata de aplicar la Biblia a ti y a tu congregación.

Es cierto, los pastores no pueden conocer todos los detalles íntimos de cada persona en su congregación. Pero hay una razón por la cual tantos pastores lucharon por predicarle a una cámara durante los cierres por el COVID-19. Ellos oran para sentir el mover del Espíritu en nuestras reacciones a sus prédicas en tiempo real. Cuando nos ven cara a cara, el Espíritu trae a sus mentes el consuelo a nuestras aflicciones. Hay muchas razones por las que una iglesia no debe atenuar las luces durante un servicio de adoración como emulando un concierto o una sala de cine. Y esta es una de ellas: para que los pastores puedan responder con sensibilidad a la inspiración del Espíritu durante la predicación.

Tiempo y espacio

Al final, la predicación no se trata solo de transmitir información. Si esa fuera la meta, entonces la predicación ya no sería el medio más eficiente para lograrlo. Podríamos pasar a videos, podcasts e incluso simplemente libros y eliminar por completo el servicio de adoración. Sin embargo, escuchar el sermón no se trata solo de ti o tu caminar personal con Jesús. Se trata de formar una cultura celestial y construir una ciudad celestial en tu propia iglesia. Se trata de formar una vida juntos.

Dos cosas suceden con las enseñanzas en vivo y en persona que no pueden ser replicadas en un podcast con un pastor que nunca conocerás en persona. En primer lugar, la congregación y el predicador juntos experimentan la predicación como un evento comunitario en tiempo y espacio. Sí, hay valor en aplicar el sermón cuando estamos solos en nuestras reflexiones devocionales. Pero es aún más valioso aplicarlo juntos como un pueblo. Juntos, el sermón cobra vida en cómo nos tratamos los unos a los otros a lo largo de la semana. Recuerda también que el predicador no está sobre nosotros. Él es uno de nosotros y participa con nosotros en ser formados juntos por la Palabra de Dios como una nueva ciudad. El sermón proyecta una visión de la Palabra de Dios para un pueblo en particular en un lugar en particular, al haberse comprometido juntos a obedecer a Dios y amarse unos a otros.

Dicho esto, en segundo lugar, el ejemplo y la personalidad del predicador marcan la pauta para toda la congregación. Es comprensible que los predicadores se sientan asustados cuando se dan cuenta de que sus iglesias asumirán sus propias debilidades y fortalezas. Cuando estudiaba en el seminario sobre cómo predicar, mi profesor me ofreció palabras aleccionadoras. Me dijo que a través de los años mi congregación probablemente no recordará las palabras exactas que yo dije. Más bien, Dios moldeará una iglesia a través de mis palabras y también de mi ejemplo de devoción e integridad a lo largo del tiempo. El carácter y el mensaje del predicador se fusionan y, por el poder del Espíritu Santo, la audiencia es cambiada por esas palabras, aún si no siempre las recuerdan. Y eso es común para las enseñanzas, no solo la predicación. Generalmente no recordamos a nuestros mejores maestros solo por su conocimiento. Recordamos su sabiduría junto con el don de comunicar y su amor por nosotros personalmente.

Así que conforme redescubres la iglesia, busca a predicadores que te amen lo suficiente como para cortarte y suturarte según sea necesario, como un buen cirujano. Busca a quienes sepan obtener su autoridad del Rey de reyes y que proclamen Sus buenas nuevas y Su consejo. Ellos no solo quieren una porción de tu salario. Buscan ser un ejemplo para ti y no solo impresionarte con su enseñanza y carisma.

Lecturas recomendadas

Leeman, Jonathan. *Word-Centered Church: How Scripture Brings Life and Growth to God's People* [*Iglesia centrada en la palabra: Cómo las Escrituras traen vida y crecimiento al pueblo de Dios*] (Chicago: Moody, 2017).

Wilkin, Jen. *Woman of the Word: How to Study the Bible with Both Our Hearts and Our Minds* [*Mujer de la palabra: Cómo estudiar la Biblia con mente y corazón*] (Wheaton, IL: Crossway, 2014).

Una iglesia es un grupo de cristianos

↓

que se reúnen como una embajada terrenal
del reino celestial de Dios

↓

para proclamar las buenas nuevas
y mandatos de Cristo el Rey

↓

**para afirmarse unos a otros como ciudadanos
Suyos a través de las ordenanzas**

↓

y para mostrar la propia santidad
y el amor de Dios

↓

a través de personas unidas y diversas

↓

en todo el mundo

↓

siguiendo las enseñanzas
y el ejemplo de los ancianos

5

¿Es realmente necesario unirse?

Jonathan Leeman

Cuando estaba en la universidad, pasé medio año en Bruselas, Bélgica. Durante ese tiempo, mi pasaporte de los Estados Unidos se venció. Así que viaje a la embajada de los Estados Unidos en el vecindario Quartier Royal en Bruselas. Entrar a la embajada me colocó en suelo estadounidense.

La embajada tiene la autoridad del gobierno de los Estados Unidos. Puedes decirle al gobierno y a las personas de Bélgica: "Esto es lo que los Estados Unidos solicita y pretende". Puede decir de personas como yo: "Él es uno de los nuestros".

Parado en el mostrador, le entregué al empleado mi pasaporte expirado. Me hizo algunas preguntas. Anotó algunas cosas en su computadora. En poco tiempo, recibí un nuevo pasaporte afirmando que soy ciudadano estadounidense. La embajada no *me hizo* ciudadano. Yo fui ciudadano al nacer. Pero si reconoció y afirmó oficialmente mi ciudadanía. Habla en nombre de los Estados Unidos de una manera que yo no puedo, aunque soy ciudadano estadounidense.

¿Realmente tienen autoridad las iglesias?

Así mismo, las iglesias no *hacen* a las personas cristianas. Nos convertimos en cristianos por medio de un nuevo nacimiento, como hablamos en el capítulo 2. Pero las iglesias son embajadas del cielo, a las que Cristo encargó afirmar nuestra ciudadanía celestial. Los bautistas, presbiterianos y anglicanos pueden estar en desacuerdo sobre quién hace exactamente la declaración, ya sea toda la congregación, los ancianos o el obispo actuando en nombre de la congregación. Pero todos están de acuerdo en que Jesús ha dado esta autoridad a las iglesias. En lugar de entregar pasaportes, las iglesias bautizan y comparten la Cena del Señor.

El cristiano de hoy no piensa que las iglesias posean una autoridad dada por Dios. ¿Los padres? Sí. ¿El gobierno? Sí. ¿Pero las iglesias?

De hecho, esto lo aprendemos de Jesús cuando le da las llaves del reino a las iglesias en Mateo 16 y 18. Primero, en Mateo 16:13-20, Jesús enseña que las llaves son usadas para afirmar las *confesiones correctas del evangelio.* Jesús afirma la respuesta de Pedro, promete construir Su iglesia, y después con ese propósito les da a Pedro y a los apóstoles "las llaves del reino de los cielos" (Mt 16:19). ¿Qué hacen estas llaves? Ellas atan y desatan en la tierra lo que es atado y desatado en el cielo. Ya no hablamos de esa manera, así que podrías perderte el significado. Pero piensa en las llaves como si fueran la autoridad de una embajada para declarar formalmente las leyes y decretos de su gobierno local.

Segundo, en Mateo 18:15-20, Jesús enseña que las llaves son utilizadas para afirmar a los *verdaderos confesores del evangelio.* Le entrega las llaves del reino a la iglesia local como base para retirar de la membresía a cualquier persona cuya vida y profesión no estén acorde. Piensa esto como la autoridad de la embajada para formalmente declarar quiénes son sus ciudadanos.

En resumen, las iglesias poseen las llaves del reino, que son la autoridad de afirmar en nombre del cielo el *qué* y el *quién* del evangelio — ¿Qué es una correcta confesión? ¿Quién es un verdadero confesor?

> La autoridad de las llaves = al derecho de declarar en nombre de Jesús el *qué* y el *quién* del evangelio: ¿Qué es una correcta confesión? ¿Quién es un verdadero confesor?

Otra analogía que puede ser útil para entender la autoridad de las llaves de la iglesia es el trabajo del juez de una corte. Un juez no hace la ley. Tampoco él o ella hacen a la persona inocente o culpable. Pero el juez posee la autoridad en nombre del gobierno para interpretar la ley y luego emitir un juicio oficial: "culpable" o "no culpable". Así es con las declaraciones de una iglesia. Son oficiales, representando al reino de los cielos en la tierra. Algunas veces las iglesias emiten juicios equivocados, así como los embajadores y embajadas, o jueces y cortes. Aun así, este es el trabajo que Jesús les otorga a las iglesias.

¿Qué son las ordenanzas? Nuestros pasaportes celestiales

¿Cómo emiten las iglesias estos juicios oficiales?

Primero, lo hacen a través de la predicación, de la cual hablamos en el capítulo anterior. Cuando el predicador predica, el "ata" o "desata" las conciencias de la congregación a su entendimiento de la Palabra de Dios. Segundo, las iglesias atan o desatan a través de las *ordenanzas* (se refiere a lo *ordenado* por Jesús).

El bautismo viene primero. Es la puerta de entrada a la membresía de la iglesia. Aquellos que se reúnen en nombre de Cristo (Mt 18:20) bautizan a las personas en Su nombre (Mt 28:19). A través del bautismo, declaramos, "estoy con Jesús", mientras la iglesia afirma, "esta persona está con Jesús". Ambas partes tienen algo que decir.

Le sigue la Cena del Señor. Es la comida regular familiar para los miembros (ver Mt 26:26-29). La membresía de la iglesia, en un sentido, simplemente significa membresía a la mesa del Señor, puesto que la Cena es como nos reconocemos unos a otros como creyentes de forma continua. Escucha a Pablo: "Hay un solo pan del cual todos participamos; por eso, aunque somos muchos, formamos un solo cuerpo" (1Co 10:17). Participar de un pan muestra que somos un cuerpo. Nos afirma como creyentes. De nuevo, las diferentes denominaciones cristianas están en desacuerdo en qué exactamente representa el pan de la comunión. Pero todos están de acuerdo en que la Cena del Señor es una comida de la iglesia, por la cual toda la congregación afirma la membresía mutua en el cuerpo de Cristo.

Con demasiada frecuencia, los cristianos tratan las ordenanzas de forma individualista. Practicamos el bautismo y la Cena del Señor en casa, en un campamento o en giras por el extranjero. El quedarse en casa durante el COVID-19 tentó a las personas a pensar de esta forma.

Es cierto que el Nuevo Testamento no restringe absolutamente el bautismo a los límites de la iglesia, como se ve a Felipe bautizando al eunuco etíope (Hch 8:26-40). Una religión misionera que abarca nuevos territorios necesita poder hacer esto. Sin embargo, la práctica normal es celebrar estas dos ordenanzas dentro de la reunión de la iglesia y bajo el vigilante cuidado de la iglesia, como cuando fueron bautizadas las tres mil personas "en" la iglesia de Jerusalén (Hch 2:41). Así mismo, Pablo nos advierte de participar de la Santa Cena solo si "discernimos el cuerpo", refiriéndose a la Iglesia (1Co 11:29). Luego nos dice que "nos esperemos unos a otros" antes de tomarla (1Co 11:33). Esto es un evento de la iglesia.

En una ocasión cuando estaba tomando la Santa Cena con la iglesia, le dije a los hermanos a mi alrededor, "mientras participamos, mirémonos unos a los otros y luego abracémonos al final". Quería captar la naturaleza corporativa de lo que estábamos haciendo. Mis amigos se quejaron por mi petición, pero estuvieron de acuerdo. Así que nos juntamos, tomamos la Santa Cena, nos miramos unos a otros y luego nos abrazamos. Honestamente, se sintió extraño. Los muchachos se rieron. No recomiendo esta práctica en sí. Pero estoy tratando de ilustrar este punto: la Cena del Señor es una comida familiar, no individual.

¿Qué es la membresía de la Iglesia?

¿Qué *es* exactamente la membresía de la iglesia?

La membresía de la iglesia es la forma en que nos reconocemos y comprometemos formalmente unos a otros como creyentes. Es lo que creamos para afirmarnos unos a otros a través de las ordenanzas. A modo de ofrecer una definición, la membresía de la iglesia es la *afirmación* y el *cuidado* de la profesión de la fe cristiana y el discipulado de un cristiano, combinado con la *sumisión* del cristiano a la iglesia y a su supervisión. Piénsalo de esta forma:

La membresía de la iglesia es

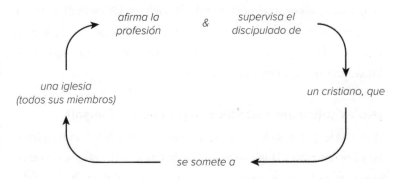

afirma la profesión & supervisa el discipulado de

una iglesia (todos sus miembros)

un cristiano, que

se somete a

La palabra *someterse* asusta, quizás especialmente cuando se aplica a la iglesia. Pero debe decirse. Cuando te vuelves miembro de una iglesia, no solo te estás sometiendo a los líderes o a la "institución" en un sentido vagamente burocrático. Te estás sometiendo a una familia y a todos sus miembros. Es tu forma de decir, "este es el grupo particular de cristianos que estoy invitando a mi vida y pidiéndoles que me hagan responsable de seguir a Jesús. Les estoy pidiendo que asuman la responsabilidad de mi caminar cristiano. Si estoy desanimado, es ahora su responsabilidad animarme. Si me desvío del camino estrecho, es su responsabilidad corregirme. Si estoy en una situación financiera difícil, es su responsabilidad cuidar de mí".

Sin embargo, este compromiso es de ambas partes. Al pedirles a otros miembros de la iglesia que te cuiden, también estás prometiendo cuidarlos. Eres ahora parte de la "iglesia" (en el lado izquierdo de la figura de la página 63), de la cual su rol es afirmar y cuidar a otros. Regresaremos a este punto en un momento.

Lo que también debería ser evidente —si has prestado atención— es que el bautismo, la Cena del Señor y la membresía de la iglesia van juntos. Existen excepciones, sin embargo, por lo general las iglesias bautizan a las personas que luego se vuelven miembros, y la Cena del Señor es un privilegio de los miembros de la iglesia, ya sea en la propia iglesia o cuando se visita otra iglesia. Después de todo, las tres cosas trabajan juntas para hacer lo mismo: afirmar y diferenciar al pueblo de Dios. Juntas declaran a las naciones de la tierra, "aquí están los ciudadanos del reino de los cielos".

¿No es suficiente pertenecer a la iglesia universal?

A veces a las personas les gusta decir, "no necesito unirme a una iglesia, yo ya pertenezco a la iglesia universal de Cristo". (La iglesia universal es lo que los teólogos llaman al cuerpo entero de Cristo alrededor del mundo y a través de la historia). ¿Es eso cierto? ¿Podemos olvidarnos de la iglesia local ya que todos nos volvemos miembros de la iglesia universal después de la conversión?

La respuesta corta es no. Es verdad que *no necesitas* unirte a una iglesia para ser salvo. Nuestra membresía en la iglesia universal es un regalo (Ef 2:11-22), así como la justificación en Cristo y la fe son un regalo. Sin embargo, *necesitas* unirte a la iglesia para obedecer las Escrituras. Así como nuestra fe debe "revestirse" con buenas obras (Col 3:10, 12; Stg 2:14-16), así mismo debemos "vestirnos" de nuestra membresía universal a nivel local. Nuestra membresía en la iglesia universal no puede permanecer como una idea abstracta. Si es real, debe evidenciarse en la tierra, en tiempo y espacio real y con personas reales con nombres como Betty, Jamar, Saeed y Ling. Los cierres por la pandemia no cambian esto.

Si el espíritu está en ti, quieres comprometerte con el cuerpo de Cristo. No puedes evitarlo. La membresía genuina en la iglesia universal crea la membresía en la iglesia local, que a su vez demuestra nuestra membresía universal, de esta forma:

La relación entre la membresía de la iglesia universal y la de la local

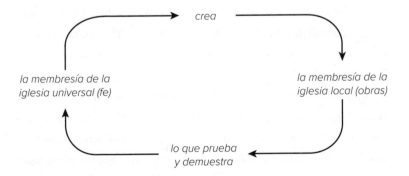

crea

la membresía de la
iglesia universal (fe)

la membresía de la
iglesia local (obras)

lo que prueba
y demuestra

Tal vez, así como nosotros, tienes amigos que han tratado de vivir su cristianismo apartados de la iglesia, y poco a poco su fe se fue apagando o desapareció por completo. Tengo un amigo al que motivé a unirse a mi iglesia después de estar asistiendo por varios meses. Se negó porque no quería rendir cuentas. Mientras tanto, estaba inmerso en un pecado significativo. Como era de esperar, su asistencia se volvió cada vez más esporádica, hasta que dejó de asistir por completo. Finalmente, me dijo un día cuando nos juntamos para un café, "Jonathan, ya no soy cristiano, o al menos no tu tipo de cristiano".

La membresía de la iglesia ofrece la seguridad de un corral de ovejas donde Cristo es el pastor. Ofrece el sustento de estar unido a un cuerpo, como un brazo al torso, donde Cristo es la cabeza. Ofrece el amor de una familia, donde Cristo es el primogénito de muchos herederos. Ofrece las obligaciones y deberes de la ciudadanía en una nación santa, donde Cristo es el Rey.

¿Es la membresía de la iglesia realmente bíblica?

Otra pregunta que las personas hacen es si la membresía de la iglesia es realmente bíblica. Tal vez te lo has preguntado.

Si solo tuviéramos el tiempo que dura un viaje en elevador para responderte, apuntaríamos a pasajes como Mateo 18:17 y 1 Corintios 5:2, donde Jesús y Pablo hablan de remover a alguien de la membresía de la iglesia, o lo que Pablo dice acerca de estar "dentro" de la iglesia (1Co 5:12). O apuntaríamos a Hechos 2 y lo que Lucas dice acerca de tres mil personas siendo "añadidas" a la iglesia en Jerusalén (Hch 2:41), o Hechos 6 y lo que dice acerca de convocar a la iglesia (Hch 6:2). No, el término "membresía de la iglesia" no es usado en la Biblia como lo usamos hoy. Pero la práctica está implícita casi cada vez que se utiliza la palabra *iglesia* en el Nuevo Testamento, como cuando Lucas dice, "pero, mientras mantenían a Pedro en la cárcel, la iglesia oraba constante y fervientemente a Dios por él" (Hch 12:5), y cuando Pablo escribe a "las iglesias de Galacia" (Gá 1:2).

Aunque no utilizaban las mismas herramientas que nosotros usamos hoy, así como las clases de membresía, paquetes de membresía y listas de nombres en una computadora, ellos sabían quiénes eran, por nombre.

Sin embargo, está la historia más grande que es importante que veas para que puedas comprender los propósitos más grandes de Dios para iglesias como la tuya y la nuestra. A través de la Biblia, Dios siempre traza una línea clara alrededor de Su pueblo. El jardín del Edén tenía un adentro y un afuera. El arca tenía un adentro y un afuera. El pueblo de Israel en Egipto, puesto en cuarentena en Gosén, tenía un adentro y un afuera. Solo piensa en las mismas plagas. Algunas solo afectaron a los egipcios y no al pueblo de Dios. Dios dijo:

> Cuando eso suceda, la única región donde no habrá tábanos será la de Gosén, porque allí vive mi pueblo. Así sabrás que Yo, el Señor, estoy en este país. Haré distinción entre Mi pueblo y tu pueblo. Esta señal milagrosa tendrá lugar mañana (Ex 8:22-23)

¡Moscas! ¡Dios usó moscas para definir una línea entre Su pueblo y los que no eran Su pueblo! Entonces Israel viajó al desierto y Él les dio leyes de pureza para trazar una línea entre adentro y afuera del campamento. Las personas impuras debían ir afuera del campamento. Finalmente, los colocó en la tierra prometida, que tenía un adentro y un afuera.

Dios siempre ha marcado a Su pueblo para poder exhibirlo para Su propia gloria. Él quiere que estas embajadas sobresalgan. No es de extrañarse que Pablo toma este lenguaje del Antiguo Testamento cuando dice:

No formen yunta con los incrédulos. ¿Qué tienen en común la justicia y la maldad? ¿O qué comunión puede tener la luz con la oscuridad? ¿Qué armonía tiene Cristo con el diablo? ¿Qué tiene en común un creyente con un incrédulo? ¿En qué concuerdan el templo de Dios y los ídolos? Porque nosotros somos templo del Dios viviente. Como Él ha dicho:

> "Viviré con ellos y caminaré entre ellos.
> Yo seré su Dios, y ellos serán Mi pueblo.
> Por tanto, el Señor añade:
> Salgan de en medio de ellos
>   y apártense.
> No toquen nada impuro,
>   y Yo los recibiré.
> Yo seré un padre para ustedes,
>   y ustedes serán Mis hijos y Mis hijas,
> dice el Señor Todopoderoso" (2Co 6:14-18)

Cuando las personas preguntan si la membresía de la iglesia está en la Biblia, generalmente están buscando algún tipo de programa, como la membresía a un gimnasio o un club. Y es verdad, eso no está en la Biblia. Eliminemos esas ideas de nuestras mentes. En cambio, añadamos a nuestras mentes "el templo del Dios viviente", que es la imagen que Pablo usa para describir quienes somos. Este templo no puede "unirse en yugo" o tener "asociación", "compañerismo" o "estar de acuerdo" con no creyentes. ¿Por qué? Porque Dios habita en este templo. Él se identifica a Sí mismo con él. Sí, aún debemos invitar a no creyentes a nuestras reuniones de adoración (1Co 14:24-25). Pero el punto es que una iglesia debe tener claro quién pertenece a ella y quién no, precisamente por el bien del testimonio de la iglesia. Él quiere que sobresalgamos y seamos distintos para poder ofrecer un testimonio atractivo y convincente para el mundo.

Como tal, la membresía de la iglesia es una realidad que se asume en casi cada página de las epístolas del Nuevo Testamento, pero el lenguaje es diferente. La membresía en la iglesia es una membresía en una familia. Viene con obligaciones familiares. Es la membresía en un cuerpo. Viene con todas las dinámicas de estar conectados con cada parte del cuerpo. Cada metáfora bíblica sobre la iglesia nos ayuda a entender lo que es la membresía y todas son necesarias, porque no hay nada en el mundo como la iglesia.

La membresía es un trabajo

Regresemos una vez más a la idea de que la iglesia es una embajada o una delegación del reino de los cielos. Esto es lo último que queremos decir en este capítulo: la membresía no es solo un estatus. Es un oficio o un trabajo, es decir, se espera que te presentes para el trabajo (Heb 10:24-25).

¿Recuerdas que entré en la embajada de los Estados Unidos en Bruselas, Bélgica, entregué mi pasaporte vencido y luego me dieron uno nuevo? Supongamos que, al entregarme mi pasaporte nuevo, la embajada luego me pone a trabajar revisando pasaportes. Eso es lo que hace la membresía de la iglesia: te pone a trabajar protegiendo, afirmando y declarando el *qué* y el *quién* del evangelio. Te da un oficio.

¿De dónde viene este oficio? Es interesante trazar los orígenes del oficio porque al hacerlo te ayuda a ver cómo está unida la Biblia. Piensa en el mandato de Dios a Adán en Génesis 1 de ser fructífero, multiplicarse y gobernar sobre la tierra (Gn 1:28). Él iba a ser un rey (ver también Sal 8). Luego piensa en el mandato de Dios a Adán en Génesis 2 de "cuidar… y trabajar" el jardín (Gn 2:15).

Adán también iba a ser un *sacerdote*, ayudando a mantener santo el lugar donde Dios habitaba. Dios deseaba que Adán fuera sacerdote-rey.

> *El trabajo de Adán como rey:* sojuzgar y gobernar el nuevo territorio.
>
> *El trabajo de Adán como sacerdote:* mantener santo el jardín, donde Dios habita.

Por supuesto, Adán falló en esta tarea. Dejó que entrara la serpiente. Noé, Abraham y la nación de Israel fallaron también. Entonces Cristo vino y cumplió perfectamente el trabajo de sacerdote y rey, y nos asignó entonces el trabajo de ser sacerdotes-reyes también. "Pero ustedes son… real sacerdocio" (1P 2:9).

Esto es lo extraordinario: tu trabajo como miembro de la iglesia es el trabajo original de Adán, solo que es una versión del nuevo pacto dado por Cristo. Vamos a expandir los límites del jardín como reyes mientras simultáneamente cuidamos del jardín como sacerdotes.

Como reyes, nos esforzamos por hacer discípulos y somos embajadores de la reconciliación. Nuestra meta es traer a sometimiento más corazones para Dios, más de la tierra bajo el dominio del evangelio. Pensaremos en esto más adelante en el capítulo 8 en la Gran Comisión (Mt 28:18-20; 2Co 5:18-20).

Como sacerdotes, nuestro trabajo es cuidar el lugar donde Dios mora, la iglesia. Debemos mantener separado lo santo de lo no santo en nuestras vidas individuales y corporativas cuidando el *qué* y el *quién* del evangelio. En una iglesia congregacional, eso significa que tu ayudas a tomar decisiones acerca de quién es miembro y quién no. En cada iglesia, eso significa que ayudas a tus compañeros miembros a caminar en santidad y haces todo lo que está en tu poder para asegurar que tu iglesia permanezca fijada en el evangelio (Hch 17:11). Pensaremos más acerca de esto en el próximo capítulo cuando hablemos de la disciplina en la iglesia (1Co 3:16-17; 2Co 6:14 – 7:1).

Nuestro trabajo real como miembros: hacer discípulos, agrandando el reino.

Nuestro trabajo sacerdotal como miembros: mantener nuestra santidad guardando el qué y el quién del evangelio, protegiendo el reino.

Lo más importante que te puedes llevar hoy es que la membresía de la iglesia no es algo pasivo. No es solo un estatus. No es solo una membresía en un club social, un club de compras o un programa de recompensas de una gasolinera. Es un trabajo donde vas a trabajar. Necesitas ser entrenado para este trabajo. Necesitas involucrarte de mente y corazón. Necesitas pensar en impactar. ¿Qué vas a producir esta semana? ¿Estás beneficiando a todo el equipo y llevando tu parte de la carga o estás holgazaneando?

Además, si tu trabajo es cuidar el *qué* y el *quién* del evangelio, necesitas estudiar y entender el evangelio. ¿Cuáles son sus implicaciones? ¿Qué lo amenaza? ¿Cómo se relaciona con otras doctrinas de la fe, tales como la Trinidad, el pecado o el fin de los tiempos? ¿Qué significa para tu trabajo, el involucrarte en la política o criar a tus hijos? ¿Cómo se ve una convicción verdadera en la vida de alguien en contraste con una convicción nominal y falsa? ¿Puedes diferenciar entre un miembro de la iglesia que cae en pecado porque él o ella es débil y un miembro que busca el pecado porque hay maldad en él o ella, es decir, un lobo vestido de oveja? ¿Sabes cómo responder a ambos tipos de miembro? ¿Puedes diferenciar a uno verdadero de uno falso maestro?

¿Conoces a otros miembros de tu iglesia e inviertes tu vida en ellos? ¿Dejas que interrumpan tu calendario? ¿Les ayudas económicamente cuando están en necesidad? ¿O básicamente te ocupas de ti mismo toda la semana, dejando que tu involucramiento sea solo los noventa minutos que asistes el domingo?

Pasamos años en el colegio y a veces en la universidad entrenándonos para nuestras carreras. Pasamos cuarenta horas a la semana invirtiendo nuestras vidas en ello y siempre estamos aprendiendo, capacitándonos y creciendo. Todo esto es bueno. Sin embargo, ¿cómo se vería estar igualmente enfocado, ser intencional y trabajar en nuestra labor de proteger al pueblo de Dios y extender el dominio del evangelio?

Un compromiso serio

Cuando alguien desea unirse a la iglesia donde soy pastor, les digo algo como esto al final de la entrevista de membresía:

> Amigo, al unirte a esta iglesia, serás conjuntamente responsable de que esta congregación continúe o no proclamando fielmente el evangelio. Eso significa que serás conjuntamente responsable tanto de lo que esta iglesia enseña como de si las vidas de sus miembros permanecen fieles o no. Y un día estarás frente a Dios y darás cuenta de cómo cumpliste con esta responsabilidad. Necesitamos más manos para la cosecha, así que esperamos que te unas en esta labor.

La entrevista de membresía es un tipo de entrevista de trabajo. Jesús le pregunta a Pedro quién creía él que era Jesús antes de ponerlo a trabajar en edificar Su iglesia. Debemos hacer lo mismo: asegurarnos de que las personas conozcan quién es Jesús y que sepan a qué trabajo se están comprometiendo al unirse a Su iglesia.

Lecturas recomendadas

Leeman, Jonathan. *La membresía de la iglesia: Cómo sabe el mundo quién representa a Jesús* (Medellín, Colombia: Poiema Publicaciones, 2017).

McCracken, Brett. *Uncomfortable: The Awkward and Essential Challenge of Christian Community* [*Incómodo: El desafío inconforme y esencial de la comunidad Cristiana*] (Wheaton, IL: Crossway, 2017).

Una iglesia es un grupo de cristianos

$\downarrow$

que se reúnen como una embajada terrenal
del reino celestial de Dios

$\downarrow$

para proclamar las buenas nuevas
y mandatos de Cristo el Rey

$\downarrow$

para afirmarse unos a otros como ciudadanos
Suyos a través de las ordenanzas

$\downarrow$

**y para mostrar la propia santidad
y el amor de Dios**

$\downarrow$

a través de personas unidas y diversas

$\downarrow$

en todo el mundo

$\downarrow$

siguiendo las enseñanzas
y el ejemplo de los ancianos

6

¿La disciplina en la iglesia es realmente amar?

Jonathan Leeman

El término "disciplina en la iglesia" o "disciplina eclesial" puede asustarte. *¿Realmente las iglesias disciplinan?* Te preguntaras. *¿Y es posible que la disciplina muestre amor?*

De hecho, la disciplina en la iglesia es una parte esencial del discipulado cristiano. Date cuenta como *discípulo* y *discipulador* son palabras que se relacionan. Si discipular involucra enseñar *y* corregir, las personas regularmente usan la palabra "disciplina" para referirse a la parte correctiva. Tanto la instrucción como la corrección son necesarias para el crecimiento. ¿Qué tanto pueden crecer los estudiantes con un maestro de matemáticas que explica la lección, pero nunca corrige sus errores? ¿O un instructor de golf que demuestra cómo balancear el palo, pero no ofrece retroalimentación cuando lo hace de forma incorrecta?

De la misma manera, hacer discípulos cristianos incluye enseñar y corregir, y las personas usan el término "disciplina eclesial" para referirse a la segunda parte, *corregir el pecado*. El proceso de disciplina comienza con advertencias en privado, como cuando una amiga se sentó conmigo en una banca de la iglesia y me dijo, "puedes ser muy egoísta a veces", y luego listó varios ejemplos concretos. Eso no fue fácil de escuchar, pero mi amiga tenía razón y me ayudó a crecer al hablarme claramente. El proceso termina cuando la persona se arrepiente o, si es necesario, cuando la iglesia remueve a la persona que no se arrepiente de la membresía de la iglesia y de la participación en la Mesa del Señor.

Las personas usarán el término "disciplina eclesial" para referirse específicamente solo a este último paso, como cuando dicen, "José fue disciplinado". Refiriéndose a que José fue removido de la membresía de la iglesia y de la participación en la Mesa. También pueden usar la palabra *excomulgar* (piensa en "*excluir de la comunión*") para referirse al paso final.

La disciplina eclesial en esta última etapa es la otra cara de la membresía de la iglesia. Recuerda el último capítulo: la membresía incluye *afirmar* una profesión de fe. La disciplina, en su etapa final, significa *remover* esa afirmación por un pecado que (1) carece de arrepentimiento, (2) se puede comprobar y (3) es significativo. Cuando una iglesia remueve a alguien de la membresía no está declarando con seguridad que esa persona es no cristiana. Las iglesias no tienen visión de rayos X o la del Espíritu Santo que puede ver el corazón de una persona. En cambio, la iglesia está diciendo, "ya no estamos dispuestos a afirmar públicamente tu profesión de fe. Ese pecado particular en tu vida, el cual tú te niegas en dejar ir [criterio 1] y del cual hay evidencias irrefutables [criterio 2], es lo suficientemente significativo [criterio 3] como para quebrantar la credibilidad de tu profesión de fe".

¿Qué tan significativo es significativo? Requiere una evaluación caso por caso para estar seguros, pero la base es que algunos pecados de los cuales no hay arrepentimiento hacen que la profesión de fe no tenga credibilidad, mientras que otros no. Una iglesia probablemente no debería excomulgar a un esposo que de forma egoísta se come todo el helado de la casa a pesar de las sensibles advertencias de su esposa, un ejemplo *puramente* hipotético, para estar seguros. Sin embargo, debería excomulgar a un esposo que abandona a su esposa.

Por lo general, alguien que ha sido disciplinado hasta ser retirado de la iglesia debería ser libre de asistir a las reuniones públicas de la iglesia (a menos que haya algún tipo de amenaza física, civil o de otro tipo). Pero él o ella ya no son tomados en cuenta como miembros. Él o ella ya no deben tomar la Santa Cena. Las conversaciones de pasillo después del servicio, si hay alguna, ya no deberían ser casuales ni fáciles. Deben ser marcadas por una sobriedad y serios llamados al arrepentimiento.

La disciplina eclesial no se trata de castigo o retribución, como tampoco lo es una calificación de reprobado en un salón de clase. El punto de la disciplina, así como el reprobar una clase, es empujar a la persona hacia el arrepentimiento. Como Pablo lo dice, "entreguen a este hombre a Satanás para destrucción de su naturaleza pecaminosa a fin de que su espíritu sea salvo en el día del Señor" (1Co 5:5).

Sin embargo, más allá del bien que la disciplina eclesial hace a la persona en pecado, es bueno para la iglesia en general, particularmente para aquellos que probablemente son vulnerables a que otros se aprovechen de ellos. En años recientes, algunas personas han abandonado las iglesias debido a la falta de cuidado de parte de sus iglesias con relación al abuso. Solo ten cuidado de no dejar de disciplinar simplemente porque alguien lo ha hecho mal. En cambio, ayuda a tu iglesia a avanzar hacia una visión bíblica de la iglesia, donde el abuso es más difícil de esconder y donde los miembros vulnerables encuentran que el compañerismo de la congregación es el lugar más seguro de todos. Dicha visión bíblica incluye una cultura de discipulado y disciplina, donde los miembros viven de forma transparente y abierta, sabiendo que pueden confesar los pecados desde el inicio cuando esos pecados son relativamente "pequeños", es decir, antes de que las grietas morales se conviertan en abismos. Dicha iglesia también tiene un proceso familiar y abierto para abordar los pecados "grandes" cuando llegan a suceder e inclusive los comunica públicamente y los excluye.

Amor bajo el entendimiento del mundo

Este es un breve resumen de la disciplina eclesial. Ahora queremos pasar el resto de este capítulo colocando la disciplina eclesial en una conversación más amplia sobre el amor. La disciplina es difícil para nosotros hoy porque sentimos que no nos demuestra amor.

Mi primera experiencia con la disciplina en la iglesia fue al final de los noventa, cuando estaba soltero. Estaba disfrutando de mi almuerzo con un buen amigo y compañero de ejercicio. Estábamos discutiendo mi vida amorosa. Luego le pregunté sobre sus propios intereses y él admitió estar viviendo un estilo de vida de pecado. Cuando le pregunté si sabía lo que la Biblia enseñaba, dijo que sí. Pero estaba convencido de que la Biblia estaba equivocada. Se negó a dar marcha atrás. Días después, traje a otro buen amigo conmigo para confrontarlo nuevamente, pero nos topamos con el mismo resultado. Eventualmente los ancianos de la iglesia se involucraron. Ellos recibieron la misma respuesta. Finalmente, los ancianos presentaron el caso a la iglesia. La iglesia le dio a mi amigo dos meses más para arrepentirse. No lo hizo. Y entonces la iglesia decidió removerlo de la membresía como acto disciplinario. Su pecado cumplía los tres criterios: *no se arrepintió*; el pecado se pudo *verificar*, es decir, todos estuvieron de acuerdo con los hechos; y fue lo suficientemente *significativo* para quebrantar la credibilidad de su profesión de fe.

A lo largo de esos meses, a veces me preguntaba si estábamos mostrando amor. Llevando a cabo la disciplina eclesial no siempre se *sentía* que estábamos amando. Los instintos culturales me decían que no lo estábamos haciendo.

Nuestro mundo entiende el amor como el fuego que sientes cuando conoces a la persona destinada por el universo o por Dios para ti. "Sucede" cuando descubres a la persona que te "completa". También entiende que el amor es permitir que alguien más siga su propio fuego, sin importar lo que sea.

Por lo tanto, encontrar el amor depende de conocerte, expresarte y actualizarte. Si el amor requiere que abandones a tus padres, tu clase, la iglesia, los puntos de vista de moralidad tradicionales y aún la sociedad como tal, pues que así sea. El amor, según el mundo, requiere que hagas lo que está bien para ti.

El amor nunca juzga, decimos. El amor deja libre a las personas. Es la carta triunfal final, el argumento que acaba con todos los argumentos, la justificación final para hacer lo que más quieres hacer. "Pero amo esto…" "Si se aman realmente, entonces por supuesto que debemos aceptarlo…" "Si Dios es amor, entonces Él no …".

El amor, o al menos nuestra definición de él, es la única ley no negociable. El mundo no cree que Dios es amor, sino que el amor es dios.

Tristemente, no solo es la cultura de "afuera" la que define al amor de esta forma. Con demasiada frecuencia, los cristianos sucumben a este entendimiento del amor.

Para ayudarte a redescubrir la iglesia, queremos persuadirte de tres cosas más en este capítulo. Primero, la disciplina eclesial es bíblica. Segundo, demuestra amor. Aunque la iglesia no la practique de manera amorosa, la práctica establecida por Jesús ciertamente demuestra amor. Tercero, y la más importante de todas, nos enseña acerca del amor santo de Dios.

Concluiremos pensando de forma práctica acerca de lo que significa todo esto para ti.

¿Es la disciplina realmente bíblica?

En primer lugar, ¿está la disciplina eclesial realmente en la Biblia? La respuesta es sí.

Mateo 18. Jesús plantea el tema mientras enseña cómo un buen pastor dejará a las noventa y nueve ovejas en el rebaño para ir en busca de la que está extraviada (Mt 18:10-14). ¿Cómo buscamos a la que está perdida? Jesús responde:

> Si tu hermano peca contra ti, ve a solas con él y hazle ver
> su falta. Si te hace caso, has ganado a tu hermano. Pero, si
> no, lleva contigo a uno o dos más, para que "todo asunto se
> resuelva mediante el testimonio de dos o tres testigos". Si se
> niega a hacerles caso a ellos, díselo a la iglesia; y, si incluso a
> la iglesia no le hace caso, trátalo como si fuera un incrédulo
> o un renegado (Mt 18:15-17).

Nota cómo Jesús quiere que la situación sea lo más pequeña posible. Pero también está busca llevar el asunto a toda la iglesia. Todos compartimos esta afirmación porque somos de la misma familia. Somos responsables el uno del otro, como las diferentes partes del cuerpo.

También observa que Jesús cree en el debido proceso. Un caso debe ser establecido por dos o tres testigos, como en el tribunal de justicia del Antiguo Testamento (Dt 19:15). No quiere que haya falsas acusaciones ni que gobierne la injusticia en la iglesia. No quiere que los pastores den su interpretación sobre el carácter de las personas: "él es orgulloso". En cambio, el pecado debe verificarse, que los hechos sean indiscutibles.

1 Corintios 5. Pablo enseña lo mismo aquí. Confronta a la iglesia de Corinto sobre un miembro que está acostándose con la esposa de su padre (1Co 5:1). La iglesia ya conoce la situación, pero por alguna razón muestra orgullo. Los miembros tal vez piensan que están amando y están siendo tolerantes. Cualquiera sea el caso, Pablo dice que no deben estar orgullosos; más bien, el hombre que ha hecho esto debe ser "removido de entre ellos" (1Co 5:2). ¿Qué aprendemos del hecho de que el proceso de Pablo es más rápido que el de Jesús? Que no existe un solo proceso para la disciplina en la iglesia. Cada uno necesita ser tratado con cuidado y sabiduría, prestando atención a los hechos particulares y a cualquier detalle relevante sobre el trasfondo. No es suficiente con que la iglesia muestre amor, también debe mostrar sabiduría.

1 Corintios 5 también nos ayuda a ver el propósito de la disciplina. Primero, la disciplina expone el pecado (ver 1Co 5:2), el cual, al igual que el cáncer, le gusta disfrazarse. Segundo, la disciplina nos advierte de un juicio futuro mayor (1Co 5:5). Tercero, la disciplina nos rescata. Es el último recurso de la iglesia cuando cualquier otra advertencia ha sido ignorada (1Co 5:5). Cuarto, la disciplina protege a los otros miembros de la iglesia. Así como el cáncer se propaga de una célula a otra, así de rápido el pecado se extiende de una persona a otra (1Co 5:6). Quinto, la disciplina preserva el testimonio de la iglesia cuando comienza a seguir los caminos del mundo (ver 1Co 5:1).

Después de todo, las iglesias deben ser sal y luz. "Pero, si la sal se vuelve insípida", Jesús dijo, "ya no sirve para nada, sino para que la gente la deseche y la pisotee" (Mt 5:13).

La disciplina eclesial nos debe enseñar acerca del amor de Dios

Podemos tener la convicción de que Jesús nos dio la disciplina eclesial, pero también podemos tener miedo de seguir Sus enseñanzas porque los otros instintos nos dicen que la disciplina no demuestra amor. Es como si pensáramos que nosotros podemos amar más que Jesús.

Necesitamos volver a darle forma a esos instintos. Hagámonos la siguiente pregunta: ¿La disciplina eclesial realmente demuestra amor?

Las escrituras claramente conectan la disciplina con el amor. "Porque el Señor disciplina a los que ama, y azota a todo el que recibe como hijo" (Heb 12:6). Dios no considera que haya conflicto entre el amor y la disciplina, sino que enseña que el amor motiva la disciplina.

El autor de Hebreos describe la disciplina como un acto de amor porque nos ayuda a crecer en santidad, justicia y paz: "Dios nos disciplina para nuestro bien, a fin de que participemos de Su santidad. Ciertamente, ninguna disciplina, en el momento de recibirla, parece agradable, sino más bien penosa; sin embargo, después produce una cosecha de justicia y paz para quienes han sido entrenados por ella" (Heb 12:10-11). La frase "cosecha de justicia y paz" nos hace pensar en los dorados campos de trigo. ¿No parece eso una imagen bella?

De hecho, la Biblia dice muchas cosas que no concuerdan con nuestra cultura de amor = *autoexpresión*. Dice que el amor no se deleita en la maldad, sino que se goza en la verdad (1Co 13:6). Y describe al amor como compañero de la verdad (2Jn 1-3). Puedes decir que amas, pero si no estás caminando en la verdad, sino que estas deleitándote en lo que Dios llama malo, no estás amando como tú crees que amas.

Jesús mismo vincula el amor con guardar los mandamientos de Dios. Él dice de Sí mismo: "Pero el mundo tiene que saber que amo al Padre, y que hago exactamente lo que Él me ha ordenado que haga" (Jn 14:31). Dice lo mismo de nosotros: "¿Quién es el que me ama? El que hace suyos Mis mandamientos y los obedece" (Jn 14:21). Incluso nos dice que si guardamos Sus mandamientos, permaneceremos en Su amor (Jn 15:10). Y Juan dice que si guardamos la Palabra de Dios, el amor de Dios se perfecciona en nosotros (1Jn 2:5).

Basado en pasajes como estos, parece que la mayoría de nosotros necesitamos una reorientación radical de nuestro entendimiento del amor. En la Biblia, el amor (al igual que la fe) lleva a la obediencia, y la obediencia es un símbolo de amor (y fe), como se muestra aquí:

¿La disciplina bíblica es realmente amar?

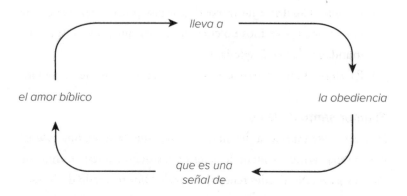

el amor bíblico — lleva a → la obediencia — que es una señal de →

Piensa en la lección bíblica de que "Dios es amor" (1Jn 4:16). Cuando las personas que dicen amar a Dios se alejan de Dios, los amamos más cuando los corregimos y les decimos "no, no, no. Dios es amor. Así que, si tú quieres amor, debes regresar a Dios". Aquellos que se oponen y desobedecen a Dios están alejándose del amor. Están escogiendo otra cosa que no es el amor, aunque le llamen amor.

Si Dios es amor, amamos a las personas al compartirles el evangelio para que puedan conocer a Dios.

Si Dios es amor, amamos a las personas al enseñarles todo lo que Dios manda para que puedan imitar a Dios.

Si Dios es amor, amamos a las personas al corregirlas cuando se alejan de Dios.

Si Dios es amor, incluso amamos a las personas al removerlas de la membresía de la iglesia cuando insisten en seguir sus propios deseos más que los de Dios, porque su única esperanza de vida y amor es reconocer que ellos mismos se están desligando de Dios.

Fundamentalmente, entonces, las iglesias deben practicar la disciplina eclesial por amor:

- Por amor al pecador, que él o ella pueda venir al arrepentimiento;
- Por amor a los demás miembros de la iglesia, para que no se extravíen;
- Por amor a los vecinos no cristianos, para que no vean solo más mundanalidad en la iglesia; y
- Por amor a Cristo, para que representemos correctamente Su nombre.

El amor santo de Dios

Hay una cosa específica del amor de Dios que la disciplina eclesial nos enseña, y muy a menudo falta en las definiciones: el amor de Dios es santo. No puedes tener al amor de Dios separado de Su santidad. Su amor sirve Sus propósitos santos y Sus propósitos santos demuestran Su amor. A veces las personas enfrentan a las llamadas "iglesias de santidad" contra las "iglesias de amor". Eso es imposible. Una iglesia debe ser ambas o ninguna de las dos cosas.

La relación entre el amor y la santidad también nos enseña a entender el prolongado tema de exclusión y exilio de la Biblia. Pasajes como Mateo 18 y 1 Corintios 5 no nos ofrecen una imagen de Dios haciendo algo nuevo o diferente. Ellos nos presentan un vistazo rápido de lo que Dios siempre ha hecho. Él siempre ha removido el pecado de Su presencia. Dios sacó a Adán y a Eva del jardín cuando pecaron. Excluyó del arca de Noé al mundo caído. Dejó fuera de la tierra prometida a los cananeos y finalmente también sacó a Su propio pueblo de la tierra. Todas las leyes del tabernáculo también servían para excluir cosas que no eran puras y santas. Y el último día, Dios promete excluir a aquellos cuya fe no descansa en la obra completa de la vida encarnada de Cristo, Su muerte sustitutiva y la resurrección que venció a la muerte.

Pero hay otro aspecto. Aunque Dios ha excluido al pecado y a los pecadores, simultáneamente ha atraído a las personas a Sí mismo con el propósito de volverlas a formar a Su imagen para que puedan desplegar Su santo amor a las naciones, para que "la tierra sea llena del conocimiento de la gloria del Señor como las aguas cubren el mar" (Hab 2:14). ¿Cómo se llena la tierra? Piensa en el mandamiento de Dios a Adán y Eva de llenar la tierra: los portadores de Su imagen, naciendo de nuevo a través del Espíritu, cumplirán el mandato original y desplegarán Su imagen de amor, santidad y justicia en todas partes.

Nuestras congregaciones, como alfileres esparcidos por el mapa, son el comienzo de esto. Son las embajadas del glorioso y santo amor de Dios. El propósito de Dios para la iglesia es, como Pablo nos dice, "… que la sabiduría de Dios, en toda su diversidad, se dé a conocer ahora, por medio de la iglesia, a los poderes y autoridades en las regiones celestiales" (Ef 3:10). Con este fin, Pablo ora para que podamos "comprender, junto con todos los santos, cuán ancho y largo, alto y profundo es el amor de Cristo; en fin, que conozcan ese amor que sobrepasa nuestro conocimiento, para que sean llenos de la plenitud de Dios" (Ef 3:18-19). Desplegar la sabiduría y la gloria de Dios significa conocer y experimentar el amor de Cristo: Su ancho, largo, alto y profundo.

Lo que esto significa para ti

Hay aún más que aprender acerca de la disciplina eclesial. ¿Cuándo ocurre la restauración? Cuando hay arrepentimiento. ¿Cómo practica una iglesia la disciplina? Involucrando la menor cantidad de gente posible, dando el beneficio de la duda a las personas, permitiendo que los líderes de la iglesia guíen el proceso, eventualmente involucrando a toda la iglesia y más. Solo queríamos mostrarles un poco.

En el análisis final, la disciplina eclesial es difícil, pero demuestra amor. Protege a las personas del autoengaño. Una vez, mi esposa y yo teníamos que consolar a una amiga cercana por una decisión pecaminosa que estaba haciendo en el trabajo. Ella rechazó nuestra corrección. Involucramos a dos amigos y luego a dos más. Cada vez ella rechazaba nuestro amor. En varios pasos de este proceso, que tardó varias semanas, me dolía el estómago y no podía dormir, y ninguna de estas cosas era normal en mí. Sin embargo, insistimos por que creíamos que Dios ama más y es más sabio de lo que nosotros somos y que podíamos confiar en Su Palabra. Maravillosamente, esta mujer eventualmente regresó a nosotros y nos dijo que había desistido de la decisión pecaminosa en el trabajo. ¡Alabado sea Dios! Fue difícil, pero valió la pena.

Sin embargo, más allá de proteger a las personas del autoengaño, la disciplina eclesial también protege a los vulnerables de aquellos que se aprovechan de ellos. Los lectores se acordarán del movimiento #MeToo [#YoTambién] de 2018, que les dio voz a las víctimas de abuso sexual. La etiqueta #ChurchToo [#IglesiaTambién] le siguió rápidamente. Más y más voces comenzaron a pedir a las iglesias que abordaran su propia negligencia pecaminosa. Si el abuso es terrible, una iglesia que lo ignora es al menos igual de mala, precisamente porque Dios ha encomendado a las iglesias para ser lugares de rectificación, sanidad y restauración de todas las injusticias que el mundo nos arroja, incluyendo el abuso y la agresión. Sin duda, fue bueno y sano que las iglesias escucharan ese llamado. Afortunadamente, muchas iglesias tienen un historial de abordar fielmente estos asuntos de manera decisiva y rápida. Otras no lo tienen. Siguen estando poco educadas en el tema, mal equipadas y lentas para responder ante estas situaciones. O peor aún, se niegan a ver el problema. De cualquier forma, la solución no es abandonar las iglesias. Sino asegurarnos de que nuestras iglesias estén abriendo la Biblia y tomando la misma herramienta que Dios ha provisto para (en el mejor de los casos) prevenir o (en el peor de los casos) guiar a una respuesta ante el abuso: una cultura de discipulado y disciplina. Una iglesia que practica la disciplina de forma humilde, en amor y de manera responsable en primer lugar nunca debería necesitar un movimiento #MeToo o un #ChurchToo.

¿Qué es lo que te puedes llevar de todo esto? Asegúrate que estás construyendo relaciones con otros miembros de la iglesia para conocerlos y que te conozcan. La confianza crece en un ambiente de conversaciones humildes y honestas. Esfuérzate por ser el tipo de persona que es fácil de corregir. Si no lo eres, tus amigos y los miembros de tu familia aprenderán rápido que es inútil corregirte, incluso es un ejercicio peligroso y dejarán de hacerlo. ¡Qué tan desprotegido te dejará eso!

Invita a las personas a conocerte. Invita a la retroalimentación crítica. Confiesa el pecado. Arriésgate a pasar vergüenza. Motiva a otros en su caminar con Cristo. Disponte a tener esas conversaciones incómodas en las cuales desafías el pecado de una manera sensible y delicada. Generalmente, esto significa comenzar con preguntas, no acusaciones, para poder asegurarte de que entiendes correctamente.

Todo esto no es solo la labor del pastor sino es la labor de cada miembro. Cuando tú y los otros miembros de tu iglesia viven de esta manera, la mayor parte de la disciplina en la iglesia nunca se saldrá de un grupo de dos o tres personas. Los ancianos nunca escucharán de ello. El cuerpo estará funcionando como debe, cada parte edificando el cuerpo en amor (Ef 4:15-16). Y poco a poco, de un grado de gloria al siguiente, tu congregación se convertirá en una embajada que muestra el santo amor de Dios.

Lecturas recomendadas

Leeman, Jonathan. *Understanding Church Discipline* [*La disciplina eclesial*] (Nashville, TN: B&H, 2016).

Leeman, Jonathan. *The Rule of Love: How the Local Church Should Reflect God's Love and Authority* [*La regla del amor: Cómo la iglesia local debe reflejar el amor y la autoridad de Dios*] (Wheaton, IL: Crossway, 2018).

Una iglesia es un grupo de cristianos

↓

que se reúnen como una embajada terrenal
del reino celestial de Dios

↓

para proclamar las buenas nuevas
y mandatos de Cristo el Rey

↓

para afirmarse unos a otros como ciudadanos
Suyos a través de las ordenanzas

↓

y para mostrar la propia santidad
y el amor de Dios

↓

a través de personas unidas y diversas

↓

en todo el mundo

↓

siguiendo las enseñanzas
y el ejemplo de los ancianos

7

¿Cómo amo a los miembros que son diferentes?

Collin Hansen

Imagina que tu meta es construir una iglesia lo más rápido posible. Tu objetivo principal es el crecimiento numérico. Quieres atraer a las personas. ¿Cuál es tu estrategia?

Probablemente empezarías enseñando, ¿verdad? En estos días, puedes desarrollar un seguimiento global a través de libros, podcast y videos. Puedes incluso concluir que la iglesia en línea o virtual es la mejor manera de hacer crecer rápidamente tus números. Construir alrededor de una personalidad dinámica de enseñanza es probablemente la forma más rápida de hacer crecer una iglesia.

Pero no es la única forma. Considera la música. Muchas iglesias están estancadas en el pasado con su experiencia de adoración. Así que decides que tu iglesia interpretará únicamente la música más reciente y moderna. Contratarás músicos jóvenes e incluso los animarás a grabar música para su lanzamiento digital de modo que tu iglesia pueda generar una base de seguidores en línea que, con suerte, contribuirá a una reputación de innovación y crecimiento de tu iglesia.

¿Y qué hay de la comunidad? Las personas dicen que quieren música y enseñanza, pero lo que realmente necesitan es amigos. Eso no es fácil de proporcionar cuando todos están tan ocupados con el trabajo y los viajes. Aun así, los grupos pequeños parecen ser la manera más eficaz de ayudar a las personas a conocerse. Pero, ¿cómo los organizarías? Puedes reunir a las personas según donde viven. Algunos grupos ya existentes de amigos pueden ser adaptados. Sin embargo, probablemente el mejor enfoque es organizarlos por la etapa de la vida en la que están o sus intereses. Poner a todos los padres primerizos juntos. Poner a todos los solteros juntos en un grupo y los adultos que ya no tienen hijos en casa en otro. Inicia un grupo de personas que les gusta montar en motocicleta. Comienza otro para los que les gusta tejer. Hay un sinfín de posibilidades. Eventualmente, a las personas les atraerá tu iglesia por la variedad de programas que ofreces. Tendrás el mejor ministerio de jóvenes en la ciudad, así que los padres se cambiarán de iglesia. Comienza un servicio de sábado en la noche para que los hombres que les gusta el golf puedan tener libre los domingos en la mañana. En la medida en que haya más formas para que las personas participen en tu iglesia, sin cambiar su estilo de vida, será más fácil que tu congregación crezca.

Este ejercicio te da un vistazo de cómo piensan muchos líderes de iglesia. Comenzamos con la meta de un crecimiento numérico. ¿Pero, te diste cuenta de la suposición oculta en todas estas estrategias? A las personas les gusta estar con personas iguales a ellos mismos. Se sienten cómodos en patrones familiares y predecibles. Quieren estar con personas que disfrutan el mismo estilo de enseñanza, tienen las mismas preferencias musicales y hacen las mismas preguntas sobre el matrimonio, la crianza de hijos y la vida amorosa, y frecuentemente los que tienen el mismo color de piel. La forma más rápida y eficiente de construir una iglesia grande es identificar un segmento de la población que comparte una serie de intereses y atenderlos a ellos en la enseñanza, las canciones y las amistades que se fomentan. Esta no es una nueva tendencia. Simplemente ha sido asumida a lo largo de la historia de la iglesia.

Por eso necesitamos redescubrir la iglesia como una comunidad de personas diferentes. La congregación local es donde Jesús nos enseña a amar a todo tipo de personas, una tribu y otra, una raza y otra, una nación y otra, aún a nuestros enemigos. Y así como el sol sale sobre el horizonte, así deben ser en nuestras comunidades en cumplimiento de la profecía del Antiguo Testamento:

> Convertirán sus espadas en arados
>   y sus lanzas en hoces.
> No levantará espada nación contra nación,
>   y nunca más se adiestrarán para la guerra. (Is 2:4)

Así que mira a tu alrededor el domingo por la tarde mientras comparten una comida, el miércoles en la noche durante la visita al asilo de ancianos con tu grupo pequeño o el grupo de oración de hombres el viernes por la mañana, y pregúntate qué es lo que ves. ¿Es amor compartido entre una diversidad de personas unidas?

La iglesia para los pecadores

Desde afuera, los doce discípulos de Jesús se miraban igual: hombres judíos. Varios de ellos trabajaban como pescadores antes de que Jesús los llamara a seguirlo. De otros, nunca se nos dijo su vocación. Pero sabemos que Jesús llamó a Mateo mientras estaba sentado en una mesa de recaudación (Mt 9:9). Podemos no darle mucha importancia a este detalle, pero Mateo sabía que era importante para sus lectores judíos. ¿Por qué? Porque ellos odiaban a los recaudadores de impuestos, no de la forma en que las personas resienten a la entidad tributaria del país hoy en día, sino mucho peor. Los judíos recaudadores de impuestos trabajaban para una entidad odiada. Recaudaban dinero que alimentaba y suplía a los soldados romanos que los gobernaban con una brutal eficiencia. Como Jesús llamó a Mateo, los fariseos se enojaron: "¿Por qué come su maestro con recaudadores de impuestos y con pecadores? Al oír esto, Jesús les contestó: —No son los sanos los que necesitan médico, sino los enfermos. Pero vayan y aprendan qué significa esto: 'Lo que pido de ustedes es misericordia y no sacrificios'. Porque no he venido a llamar a justos, sino a pecadores" (Mt 9:11-13).

Muchos en la actualidad, tanto dentro como fuera de la iglesia, comparten la confusión de los fariseos. ¿No es la iglesia sólo para personas con una política correcta? ¿No es la iglesia para personas que tienen su vida en orden? ¿No es la iglesia para personas que se ven, piensan y hablan como yo?

Para un visitante que no está familiarizado con la iglesia, todos los demás pueden parecerle felices, exitosos o con su vida en orden. Y a veces esa es la impresión que quiere dar una iglesia.

Pero no es lo que quería Jesús. Solo el enfermo va al doctor. Y solo los pecadores van a la iglesia. Los fariseos pensaban que eran justos sin Jesús. Que no lo necesitaban. Sin embargo, Mateo y los otros pecadores sabían que necesitaban a Jesús. Estaban avergonzados de su pasado, llenos de culpa por lo que habían hecho y lo que habían dejado de hacer. Su amor era algo que nunca habían experimentado antes. Antes eran marginados. ¡Ahora habían sido acercados al Hijo de Dios! No podían vivir sin Él.

Este recaudador de impuestos y estos pecadores no hubieran compartido ese compañerismo sin Jesús. No tenían mucho en común, excepto el rechazo de los fariseos. Pero Jesús reunió a personas quienes naturalmente no hubieran sido amigos o aliados. En el mismo grupo de doce discípulos Jesús también llamó a un hombre llamado Simón, conocido por todos como el Zelote (Hch 1:13). El partido zelote trabajaba para derrocar violentamente a los ocupantes romanos. Ellos resentían a los fariseos por no hacer lo suficiente por expulsar a los extranjeros. Pero realmente odiaban a los colaboradores, a hombres como Mateo el recaudador de impuestos.

Puedes imaginarte las incómodas conversaciones de sobremesa entre Simón y Mateo. Sin embargo, Jesús los llamó a ambos. Los amó a ambos. Dedicó años de Su vida para enseñarles a ambos acerca del reino de Dios que trasciende las divisiones terrenales.

Comunidad negativa

La razón por la cual necesitamos redescubrir la iglesia como una comunidad de diferentes es porque fácilmente caemos en las ideas del mundo acerca de lo que es una comunidad. El mundo nos da dos opciones. Una perspectiva nos pide que celebremos la diversidad al priorizar las diferencias étnicas, de nacionalidad, de género y cada vez más de orientación sexual. Esta perspectiva nos entrena para sentirnos bien y creer que estamos haciendo lo correcto cuando estas diversas identidades son incluidas en nuestra comunidad. Un cuarto lleno de rostros del mismo color se siente incorrecto, incluso inmoral.

Una segunda perspectiva nos pide que celebremos la uniformidad. En gran parte del mundo, no puedes – o al menos no se supone que debes – mezclar diferentes etnias. Podrías vivir en un territorio remoto solo con una clase económica o etnia. O en un país que practica un sistema de castas que separa a las personas antes de que nazcan, sin posibilidad de cambiar posiciones. O en un sistema político que demanda obediencia al estado en todos los aspectos, incluyendo la religión. La uniformidad es considerada de alto valor.

Una habitación donde las personas están en desacuerdo por temas políticos o su visión del mundo se siente incorrecto, incluso inmoral.

A simple vista pareciera que estas dos perspectivas —diversidad y uniformidad— están orientadas en direcciones opuestas. Pero estas diferencias enmascaran las similitudes escondidas. Es más obvio en la perspectiva de uniformidad. Si en tu vecindario no te comportas de acuerdo con lo esperado, si no asistes a la iglesia correcta o si te asocias con personas de una casta diferente, eres excluido de la comunidad. Sin embargo, lo mismo sucede cuando se empuja hacia la diversidad. Solo cierto tipo de diversidad es permitida. Puedes ser de una etnia diferente, pero no puedes estar en desacuerdo con la ética sexual. Puedes sentirte orgulloso de ser de otro país, pero no puedes apoyar al partido político equivocado. Puedes ser celebrado por tu género, pero no por insistir en que hay diferencias biológicas entre los géneros.

Cualquiera que sean sus pretensiones, ambas perspectivas crean una comunidad a través de la exclusión. Son como fraternidades o hermandades, las cuales construyen una comunidad al crear un club exclusivo. Solo puedes entrar si te lo permiten. Lo mismo es con los clubes sociales o un vecindario que filtra a las personas no deseables por nivel económico. O una marcha de protesta que no admite una protesta desde dentro. O un programa académico que acaba con la libre investigación e ideologías en desacuerdo. Tú perteneces por que otros están fuera.

Cómo darte a conocer al mundo

Nuestras iglesias a veces toman esta postura, ya sea dando valor a la uniformidad o a la diversidad, porque esto es lo que conocemos sobre lo que es una comunidad. No sabemos cómo tener una iglesia donde las personas no están de acuerdo en temas de política porque tratamos de no asociarnos con personas que nos hacen sentir incómodos. No sabemos cómo construir una iglesia multiétnica, porque no vivimos vidas multiétnicas. No sabemos cómo incluir diferentes clases sociales, porque no se encuentran en nuestro vecindario. No sabemos priorizar la unidad que compartimos en Cristo, porque estamos acostumbrados a observar nuestras diferencias físicas.

Cuando una iglesia sigue estos patrones del mundo, no destaca ante el mundo. ¿Por qué? Porque los miembros no necesitan la iglesia para este tipo de comunidad. Puedes unirte a una marcha de protesta o un partido político si quieres compartir ese entusiasmo ideológico. Puedes unirte a un equipo deportivo o una comunidad de videojuegos si necesitas amigos con quienes pasar el tiempo. Puedes unirte a veteranos en una cafetería si quieres quejarte del clima, tus dolores y padecimientos. La iglesia que se da a conocer al mundo junta personas que normalmente no se asociarían, los recaudadores de impuestos y los zelotes, los pecadores y los fariseos. Eso es lo que hizo que la iglesia primitiva fuera tan extraña, que algunos decían que habían trastornado al mundo (Hch 17:6).

En el mundo antiguo, la religión estaba amarrada a otras identidades, especialmente a la política de las personas y sus etnias o tribus. Cuando iban a la guerra, peleaban en contra de pueblos con diferentes dioses locales y diferentes gobernantes. Los romanos conquistaron grupos pequeños como estos por todo el mundo conocido. Los judíos eran extraños para ellos al insistir en un solo Dios en lugar de muchos. Pero no detuvieron la adoración de este Dios en el templo hasta que los judíos se rebelaron contra la autoridad política de Roma.

Los cristianos eran diferentes. Adoraban a este mismo Dios. Pero también adoraban al hombre, a Jesús, quien decía ser Dios. Curiosamente, los cristianos también insistían que Él no era un maestro o político local revolucionario, sino el Señor del universo. Y aunque

Jesús se sometió a las autoridades locales, también afirmó que no tenían autoridad excepto la que Él les había otorgado. Nadie antes había visto o escuchado nada como eso. El cristianismo entonces era especialmente atractivo para las personas de todo el Imperio Romano por que reunió a las personas que normalmente no se juntarían, esclavos y libres, pobres y ricos, judíos y gentiles. Esta diversidad unificada también hizo que el cristianismo fuera en especial una amenaza para los poderes políticos en Roma, quienes vieron su autoridad desestabilizada por los valores de un reino superior.

Este tipo de comunidad, este compañerismo de personas diferentes unidas únicamente por Cristo es lo que necesitamos para redescubrir la iglesia. Y es el tipo de comunidad que se da a conocer al mundo. Es el tipo de comunidad que amenaza el *statu quo* del mundo. Esta comunidad está edificada en un amor y una fe común en Jesucristo. Como el apóstol Pablo instó a los efesios:

> Les ruego que vivan de una manera digna del llamamiento que han recibido, siempre humildes y amables, pacientes, tolerantes unos con otros en amor. Esfuércense por mantener la unidad del Espíritu mediante el vínculo de la paz. Hay un solo cuerpo y un solo Espíritu, así como también fueron llamados a una sola esperanza; un solo Señor, una sola fe, un solo bautismo; un solo Dios y Padre de todos, que está sobre todos y por medio de todos y en todos (Ef 4:1-6).

Ninguna pandemia, elección o video viral pueden amenazar este tipo de unidad. Cuando la controversia azota, esta comunidad de iglesia se une más en amor, empatía y confianza. Sus miembros están "ansiosos por mantener la unidad del Espíritu en un vínculo de paz".

Resistiendo la división

Al mismo tiempo, esta comunidad puede resistir las divisiones de este mundo porque sus miembros valoran y respetan sus diferencias. El apóstol Pablo trabajó para corregir la iglesia en Corinto mientras luchaba por encontrar unidad en medio de las diferencias. Las divisiones de la iglesia inspiraron su famosa enseñanza sobre el amor: "El amor todo lo disculpa, todo lo cree, todo lo espera, todo lo soporta" (1Co 13:7).

Por sus divisiones también surgió su más clara enseñanza acerca del cuerpo de Cristo. Utilizó esta metáfora para explicar cómo la iglesia necesita a todos sus miembros trabajando juntos. En un cuerpo, el pie no menosprecia la mano. La oreja no está celosa del ojo porque necesitas ver tanto como escuchar. Cualquiera puede identificarse con la experiencia de cuanto dolor y malestar proviene de una parte del cuerpo que no se le daba mucha importancia. Por eso Pablo dijo, no podemos dar por sentado las llamadas menores partes del cuerpo. "Así Dios ha dispuesto los miembros de nuestro cuerpo, dando mayor honra a los que menos tenían, a fin de que no haya división en el cuerpo, sino que sus miembros se preocupen por igual unos por otros. Si uno de los miembros sufre, los demás comparten su sufrimiento; y, si uno de ellos recibe honor, los demás se alegran con él" (1Co 12:24-26).

Una iglesia más duradera

El cuerpo es una comunidad de diferentes. No somos iguales y nos necesitamos. No se nos ha dado los mismos dones y así es como Dios lo dispuso para nuestro bien. Confesamos la misma fe en Jesucristo, pero disfrutamos una diversidad de experiencias. Esta es la visión de Dios para la iglesia que debemos redescubrir. Este modelo no ofrece una forma rápida de edificar la iglesia más grande. Pero es la forma más duradera para edificar una iglesia sana.

Si quieres edificar rápido una iglesia grande, te centraras en la personalidad y enseñanza única del pastor en lugar de los diversos dones que Dios le ha dado a cada miembro del cuerpo. También elegirás una música que sea atractiva para tu preferido rango de edad, clase social o demografía étnica (por ejemplo, los profesionales jóvenes con un ingreso disponible, tiempo abundante y necesidad de comunidad).

No es que esas iglesias estén mal o en pecado. De hecho, muchas iglesias, sino es que la mayoría de las iglesias, a lo largo de la historia generalmente se formaron del mismo tipo de personas, con los mismos intereses. En algunos casos, como las minorías étnicas en Estados Unidos, construyeron iglesias separadas porque estaban excluidos de las iglesias ya establecidas, fuera debido al racismo o simplemente a las barreras del idioma. De hecho, parece que Dios utiliza diferentes tipos de iglesias juntas para llegar a la misma comunidad con las buenas nuevas de Jesús.

Por ejemplo, los discípulos de Jesús en la iglesia primitiva dirigidos por Pablo sugieren algo que debemos redescubrir hoy. La política y la pandemia han causado estrés a muchas congregaciones hasta llegar a un punto de ruptura. Pareciera más fácil buscar una iglesia donde todos piensan, votan y pecan igual que tú. Sin embargo, es mejor para tu crecimiento espiritual acercarte a una comunidad de diferentes:

- Para honrar a las personas con habilidades diferentes a las tuyas.
- Para esperar todas las cosas en amor.
- Para mantener la unidad del Espíritu en un vínculo de paz.
- Para respetar al zelote o al recaudador de impuestos sentado a tu lado.

¿Quieres encontrar una iglesia que capte la atención de este mundo? Encuentra una iglesia que se vea como el mundo que vendrá.

Lecturas recomendadas

Dever, Mark y Dunlop, Jamie. *La comunidad atrayente: Donde el poder de Dios nos acerca a Su iglesia* (Medellín, Colombia: Poiema Publicaciones, 2021).

Ince, Irwyn L., Jr. *The Beautiful Community: Unity, Diversity, and the Church at Its Best* [*La comunidad hermosa: unidad, diversidad y la iglesia en su mejor momento*] (Downers Grove, IL: InterVarsity Press, 2020).

Una iglesia es un grupo de cristianos

↓

que se reúnen como una embajada terrenal
del reino celestial de Dios

↓

para proclamar las buenas nuevas
y mandatos de Cristo el Rey

↓

para afirmarse unos a otros como ciudadanos
Suyos a través de las ordenanzas

↓

y para mostrar la propia santidad
y el amor de Dios

↓

a través de personas unidas y diversas

↓

en todo el mundo

↓

siguiendo las enseñanzas
y el ejemplo de los ancianos

8

¿Cómo amamos a las personas que no pertenecen a la iglesia?

Collin Hansen

¿Para qué existe una iglesia? ¿Qué se supone que debe suceder en los programas de jóvenes, servicios de adoración, estudios bíblicos y grupos pequeños de la iglesia? ¿Cómo debemos sentirnos y qué se supone que debemos hacer, como parte de una iglesia?

Tal vez las respuestas a estas preguntas son obvias para ti. Pero a lo largo de la historia, las iglesias han respondido esas preguntas de al menos cuatro maneras diferentes. Podemos comparar estas cuatro alternativas con lo que encontramos en la Palabra de Dios acerca de lo que debe hacer la iglesia por las personas que están fuera de ella y también por las que están dentro. Algunas de estas respuestas se superpondrán; no necesariamente son mutuamente excluyentes. Sin embargo, las iglesias generalmente enfatizan solo uno de estos aspectos de la relación entre los de afuera y los de adentro.

Primero, algunos creen que la iglesia sirve para evangelizar. La meta de la iglesia es traer personas dentro de un edificio el domingo por la mañana para que puedan escuchar las buenas nuevas acerca de Jesús y se conviertan. La predicación y la enseñanza están enfocadas en lo básico: nuestro problema con el pecado, el sacrificio de Jesús y la necesidad de creer. Los servicios de adoración tienden a recorrer series estándar sobre relaciones, crianza de los hijos, finanzas, cultura actual y otros temas que se conectan con los que vienen de afuera. El que enseña trata de conectar estas situaciones de la vida con nuestra necesidad de Jesús.

Segundo, algunos creen que la iglesia es para buenas obras. La iglesia tiene como objetivo movilizar a las personas de adentro para ayudar a las personas de afuera en formas tangibles. Estas iglesias tienen comedores y tiendas de ropa de segunda mano. Tienen programas de empleo para ex convictos y clases de español para inmigrantes y refugiados. La predicación y la enseñanza se enfoca en las obras de Jesús y Su mandamiento de amar a nuestro prójimo como a nosotros mismos. Los líderes exhortan a los de adentro a trabajar y votar por el cambio que beneficiara a los menos afortunados de afuera. Los servicios de adoración tienen anuncios sobre los días de trabajo y la necesidad de voluntarios. También resaltan los reportes del número de personas de afuera que han sido ayudadas por los de adentro.

Tercero, algunos creen que la iglesia es para sanidad. La iglesia tiene como objetivo mostrar a los de afuera que la vida mejora cuando entran a la iglesia. La predicación y la enseñanza enfatizan los milagros de Jesús y el poder del Espíritu Santo y de cómo nos da los mismos medios para sanar hoy a las personas de su sufrimiento físico, espiritual, financiero y mental. Los sermones enfatizan que los de adentro pueden vencer cualquier reto con la ayuda de Dios. Los servicios de adoración cuentan con música edificante y respuestas físicas al mover del Espíritu Santo. Algunos servicios podrían concentrarse casi exclusivamente en la oración para sanidad inmediata.

Cuarto, algunos creen que la iglesia es para conceder gracia. La iglesia tiene como objetivo otorgar a los de adentro el perdón que no pueden recibir fuera de la iglesia. La predicación y la enseñanza se enfoca en el rol de la iglesia como mediador entre los seres humanos y Dios. Los servicios de adoración culminan cuando los de adentro toman el cuerpo y la sangre de Cristo representados en el pan y el vino. Una persona que está fuera de esta congregación en particular, puede ser parte de otra congregación, pero reconocerá muchas similitudes en este tipo de iglesia sin importar a qué servicio asista.

Tal vez tú reconoces alguno de estos escenarios. Quizá podrías reconocerlos tal vez en dos o tres iglesias. ¡O tal vez eres nuevo en una iglesia donde todo te parece poco familiar! Puedes visitar una iglesia como alguien de afuera y sentir que todo se ha planificado para tu beneficio. En otra iglesia, nadie te notaría. Por eso en este capítulo buscamos ayudarte a redescubrir la iglesia al explicar lo que la Biblia enseña sobre su propósito y cómo los de adentro y los de afuera deben relacionarse.

La Gran Comisión

Comenzaremos con las últimas palabras de Jesús a Sus discípulos antes de ascender al cielo, después de Su resurrección:

> Se me ha dado toda autoridad en el cielo y en la tierra. Por tanto, vayan y hagan discípulos de todas las naciones, bautizándolos en el nombre del Padre y del Hijo y del Espíritu Santo, enseñándoles a obedecer todo lo que les he mandado a ustedes. Y les aseguro que estaré con ustedes siempre, hasta el fin del mundo (Mt 28:18-20).

Jesús concluyó Su mensaje antes de partir explicándose a Sí mismo. Toda autoridad le pertenece a Él, por lo que Su mandato es obligatorio. Los discípulos no tenían la autoridad para hacer lo que querían.

Jesús había prometido que edificaría Su iglesia. Solo Él tiene la autoridad adecuada para ello. Jesús también prometió que no importaba lo que les sucediera a Sus discípulos, Él estaría con ellos. Pero no solo hasta el final de sus vidas. Esta promesa y mandato aplica a todos los discípulos que vendrían, hasta el fin de los tiempos.

Considerando que Jesús dijo estas palabras antes de ascender al cielo, Su compromiso debió haber traído consuelo a Sus discípulos, quienes no tenían idea de lo que les esperaba después de Su partida.

Jesús le dejó este mensaje antes de partir, a su círculo íntimo, a los hombres que habían caminado y hablado con Él por años. Pero es importante notar que Él no les dijo nada acerca de que ellos eran los de adentro. Solo les mandó lo que debían hacer por los de afuera. Así como Él los hizo Sus discípulos, ellos debían ir y hacer otros discípulos. Sin embargo, el alcance ha cambiado dramáticamente. Su horizonte sería expandido más allá de las fronteras de Galilea y la ciudad de Jerusalén. Jesús los envió a "todas las naciones".

Es extraordinario ver atrás y observar como ellos obedecieron e hicieron discípulos en todas partes desde la India hasta África y Europa.

¿Y entonces qué se supone que debía hacer este círculo íntimo para convertir a los de afuera en discípulos de Jesús? Para comenzar, ellos bautizaban. Las iglesias de hoy están en desacuerdo acerca de si el bautismo debe ser después del nacimiento o después de la confesión de fe en Jesucristo. Esto va más allá del alcance de este corto libro para resolver esta controversia. Sin embargo, todos están de acuerdo en que los discípulos bautizaban a los nuevos creyentes en el nombre del Padre, del Hijo y del Espíritu Santo, como Jesús lo mandó. Eso significa que les enseñaron a los de afuera sobre la Trinidad, un Dios en tres personas. Considerando la creencia judía acerca de un Dios y la creencia romana de muchos dioses, esta doctrina debió requerir un manejo paciente, cuidadoso y extenso. Esta enseñanza no habría sido evidente para los de afuera, no importaba a donde viajaran los discípulos.

El último encargo de Jesús engloba todo lo que puedas imaginarte: "enseñándoles a obedecer todo lo que les he mandado a ustedes". Tenemos cuatro libros de la Biblia llenos de las enseñanzas de Jesús. Los discípulos tuvieron varios años con Él también. No podrían haber cumplido este mandamiento solo enseñando acerca de la cruz y la tumba vacía para luego presionarlos a que creyeran. Es cierto que la conversión hace que los de afuera sean de adentro. Pero los nuevos tienen que aprender a "observar" las enseñanzas de Jesús. Y así como Jesús puso el ejemplo para los discípulos, así también los discípulos debían haber enseñado a los nuevos creyentes a observarlos y observar sus enseñanzas de cómo seguían los mandamientos de Jesús. De nuevo, obedecer este aspecto del mandamiento que conocemos como la Gran Comisión debió tomar tiempo y paciencia. Probablemente no es el tipo de cosa que puedes lograr solo con videollamadas, mucho menos con un podcast unidireccional. Este tipo de enseñanza se logra mejor en persona, relacionándose y dialogando, en la iglesia.

La iglesia hoy

¿Entonces qué conclusión podemos obtener de la Gran Comisión acerca del propósito de la iglesia? ¿Cómo se relacionan los de adentro con los de afuera? Podemos ver que Jesús les pidió a los líderes de la iglesia primitiva, los del círculo más íntimo, iniciar la labor de convertir a los de afuera en los de adentro a través de la conversión. Ese proceso puede comenzar desde sus propios hogares, con sus hijos y la familia extendida, pero eventualmente se extendería a los extraños alrededor del mundo. La iglesia no debe perder de vista este llamado evangelístico. Cualquier otra cosa que haga la iglesia, enseña y luego modela cómo convertirse en discípulo de Jesucristo.

Podemos ver que la iglesia debe construir relaciones profundas y duraderas. Es imposible enseñar todo lo que Jesús mandó a personas que apenas conoces y casi no ves. Comparado con los siglos anteriores, hemos retornado a un estado de confusión religiosa muy similar a lo que pudieron haber encontrado los discípulos. A través de la historia del cristianismo, ya sea de la iglesia establecida en Europa o la variedad de fácil creencia en América, los de afuera supieron cómo hablar y actuar como los de adentro, aún si en realidad no conocían a Jesús. Sabían el lenguaje. Celebraban sus festividades. Podían identificar a las tres personas de la Trinidad tan fácil como las tres ramas del gobierno americano. Llamamos a esto nominalismo cristiano. Sin embargo, el nominalismo se está extinguiendo, excepto en rincones reducidos del Oeste.

Frecuentemente platico con pastores que trabajan con jóvenes. Y al menos durante los últimos cinco años, he escuchado un mensaje consistente: toma el doble de tiempo hacer progresar lo mismo en el discipulado hoy que hace una década. Cada vez menos personas de afuera conocen algo de lo que Jesús dijo más allá de alusiones genéricas al juicio y el amor. Cuando se convierten y entran a ser parte, entienden poco acerca de lo que significa seguir a Jesús, quién es, qué ha hecho, y qué ha mandado. Al redescubrir la iglesia no nos podemos dar el lujo de repetir los mismos mantras de autoayuda sin sondear las profundidades teológicas. Una fe vacía no ayuda a los nuevos creyentes a obedecer a Jesús, dado que Él nos dijo que debemos esperar que el mundo odie a Sus seguidores. (Mt 5:11; 10:22; Mr 13:13; Lc 21:17; Jn 5:18).

Una misma advertencia aplica a las iglesias que se enfocan en la sanidad o en conceder gracia. La oración debe caracterizar a cualquier iglesia fiel. Y el Espíritu Santo tiene el poder de sanar, tanto a los de adentro como a los de afuera. Pero la labor del Espíritu Santo es ayudarnos a recordar lo que Jesús enseñó y lo que hizo (Jn 14:26). Cualquier sanidad física o ayuda financiera en este lado de la eternidad es buena pero no es la meta final. La deuda de tu tarjeta de crédito puede ser condonada en la tierra. Pero a menos que Dios haya perdonado tus pecados por medio de la sangre de Jesús, tu deuda de pecado junto con el juicio eterno de Dios sigue estando. Debemos tener cuidado de no dar la impresión de que unirse a la iglesia traerá beneficios financieros o físicos tangibles aquí y ahora. De lo contrario Jesús se convierte en un medio para un fin mundano y temporal.

Cuando se trata de dispensar gracia, caminamos en una línea muy fina en la iglesia. Este libro se trata de cómo el cuerpo de Cristo es esencial. Dios ha dado la autoridad a los líderes de la iglesia para que en Su nombre administren las ordenanzas del bautismo y la Cena del Señor. Ellos resguardan estos medios de gracia, los cuales sólo pertenecen a los que pertenecen a la iglesia. No puedes solo darte un remojón en la piscina del jardín y tomar un poco de pan con una lata de gaseosa y llamarlo iglesia.

Al mismo tiempo, ningún simple mortal determina tu destino espiritual, ya sea que estés dentro o fuera de la iglesia. El apóstol Pablo le dijo a Timoteo, su discípulo y el pastor de Éfeso, "porque hay un solo Dios y un solo mediador entre Dios y los hombres, Jesucristo hombre, quien dio Su vida como rescate por todos. Este testimonio Dios lo ha dado a su debido tiempo" (1Ti 2:5-6). La gracia es dada por Dios a todos aquellos que la piden por fe. No se guarda en la iglesia y ni se otorga a instancias de los líderes. No necesitas a la iglesia para nacer de nuevo, pero si necesitas la ayuda de la iglesia para caminar con tu débil y tambaleante fe.

¿Y qué pasa con todo lo demás que mandó Jesús?

Hasta ahora en este capítulo, hemos establecido que la iglesia es para ayudar a los de afuera a ser parte de la iglesia a través de la conversión. Cuando los de afuera llegan a ser parte de la iglesia, los de adentro paciente y diligentemente les enseñan a obedecer todo lo que Jesús mandó. Conforme redescubres la iglesia, encontrarás que no todos tienen éxito haciendo ambas cosas. A veces escucharás mucho sobre el evangelio, que es básicamente la cruz y la resurrección. Pero no escucharás tanto de los Evangelios, esos cuatro libros basados en los relatos de los primeros discípulos de Jesús. Culminan con la cruz y la resurrección después de decenas de capítulos llenos de las enseñanzas de Jesús. Entender la relación entre el evangelio y los Evangelios es clave para redescubrir el compromiso de la iglesia con el evangelismo y el vivir como miembro dedicado a las buenas obras criando hijos en el temor del Señor, yendo a trabajar cada día como para Cristo, haciendo el bien a los vecinos no cristianos, buscando hacer obras de compasión y justicia, involucrándose en la comunidad cada vez más conforme se tiene la oportunidad.

La misma estructura de los Evangelios nos dice que Jesús entendió Su misión de ofrecerse a Sí mismo como sacrificio para expiar el pecado. Él explicó a Sus discípulos, "porque ni aun el Hijo del hombre vino para que le sirvan, sino para servir y para dar Su vida en rescate por muchos" (Mr 10:45; ver también Mt 20:28). El evangelio de Mateo gira en torno al momento en que Pedro confiesa que Jesús es el Cristo, el Mesías prometido (Mt 16:16). A partir de este momento, Jesús comienza a explicarles a Sus discípulos que necesitaría ir a Jerusalén, sufrir a manos de los líderes judíos, morir en la cruz y resucitar de los muertos al tercer día (Mt 16:21). Cuando entendemos la misión de Jesús, podemos entonces entender la misión de la iglesia, que es compartir este evangelio acerca de lo que Jesús ha hecho.

Pero si esto fue lo único que vino a hacer Jesús, no necesitaríamos todos los demás capítulos en los Evangelios. No necesitaríamos el Sermón del Monte de Mateo 5 – 7. No necesitaríamos que Jesús nos explicara cómo los de adentro deberían relacionarse unos con otros, cómo deben relacionarse con los de afuera y cómo contribuyen a una sociedad buena y justa. En este sermón, escuchamos de Jesús, "ustedes son la luz del mundo. Una ciudad en lo alto de una colina no puede esconderse... Hagan brillar su luz delante de todos, para que ellos puedan ver las buenas obras de ustedes y alaben al Padre que está en el cielo" (Mt 5:14,16).

Este pasaje es la clave para reconciliar el evangelismo con las buenas obras, a los de adentro con los de afuera. ¿Alguna vez has asistido a un servicio a la luz de las velas en vísperas de navidad? Si no lo has hecho, puedes fácilmente darte una idea. Mientras se canta "Santa la Noche" o algún otro himno navideño, cada persona enciende una vela y pasa la llama a la siguiente persona. Lo que comienza como una habitación oscura al inicio del himno, termina con luz y calor al finalizar. Una vela encendida brilla intensamente en la oscuridad. Decenas de velas encendidas ahuyentan la oscuridad.

Eso es lo que sucede cuando la iglesia obedece todos los mandamientos de Jesús. Los mandamientos de dejar la ira. Rechazar la lujuria. Amar a los enemigos. Dar al necesitado. No estar ansioso por nada. Cuando los cristianos de adentro actúan de esta manera unos con otros y con los de afuera, el mundo ve sus buenas obras como una ciudad en una colina iluminada con las brillantes luces navideñas. Su luz brilla de tal manera que los de afuera quieren entrar y dar gloria al Padre que está en los cielos.

Pero el orden aquí es crucial. Con demasiada frecuencia, los cristianos y las iglesias se preocupan tanto por redimir la cultura o transformar la ciudad que fallan en tener sus propias casas en orden. Como hemos elaborado a lo largo de este libro, las iglesias deben primero buscar convertirse en culturas renovadas y ciudades celestiales transformadas. Solo entonces su amor, sus buenas obras y su búsqueda de justicia podrá rebasar hacia afuera con integridad. Cuando esto suceda, los atribulados ciudadanos de este mundo y sus fallidas revoluciones pueden buscar refugio a través de las puertas de nuestra embajada.

Bueno para todos

¿Así que la iglesia existe para los de adentro y los de afuera? Para ambos de forma complementaria. El apóstol Pablo enseña, "por lo tanto, siempre que tengamos la oportunidad, hagamos bien a todos, y en especial a los de la familia de la fe" (Gá 6:10). Cada persona de afuera es bienvenida en la iglesia y es invitada a ser parte como alguien de adentro por fe.

Dentro de la iglesia, los cristianos aprenden a obedecer todo lo que Jesús mandó, incluyendo cómo deben honrar a Dios y amar a los de afuera en sus familias, trabajos y vecindarios. Cuando los de adentro hacen el bien unos a otros juntos, brillan como un faro de esperanza santa para un mundo atrapado en la oscuridad de la noche. Adolph-Charles Adam lo describe bien en la letra de su himno navideño "Santa la noche":

Nos enseñó a amarnos unos a otros;
Su ley amor, Su evangelio trae paz.
Nos enseñó que hermanos somos todos;
Y de opresión Él nos lleva a Su luz.

Lecturas recomendadas

Keller, Timothy. *Justicia generosa: Cómo la gracia de Dios nos hace justos* (Barcelona: Andamio, 2016).

Stiles, Mack. *La evangelización: Cómo toda la iglesia habla de Jesús* (Medellín, Colombia: Poiema Publicaciones, 2018).

Una iglesia es un grupo de cristianos

↓

que se reúnen como una embajada terrenal
del reino celestial de Dios

↓

para proclamar las buenas nuevas
y mandatos de Cristo el Rey

↓

para afirmarse unos a otros como ciudadanos
Suyos a través de las ordenanzas

↓

y para mostrar la propia santidad
y el amor de Dios

↓

a través de personas unidas y diversas

↓

en todo el mundo

↓

**siguiendo las enseñanzas
y el ejemplo de los ancianos**

9

¿Quién dirige la iglesia?

Jonathan Leeman

Todos saben lo que es un pastor, ¿verdad? Hasta los no cristianos lo saben. Al menos, lo han visto en televisión. Los pastores dirigen las iglesias. Se paran al frente en los servicios. Hablan un rato. Tal vez, después del servicio, se paran atrás y despiden a las personas que van de salida. En la semana, hacen otro tipo de cosas buenas. O algo.

Tal vez es mejor decir que la mayoría de las personas tienen una vaga idea de lo que es un pastor. Esa idea ha sido formada por experiencia, ya sea al ver la televisión u observando al pastor de la iglesia a la que ocasionalmente asistían de niños.

Eso significa que, si comenzamos a comparar notas, descubriremos que nuestras ideas varían. Algunos piensan que es un hombre guapo y carismático en el escenario, capaz de cautivar a una gran audiencia con su espectáculo bien calculado. Otros piensan en un hombre mayor cuyos enredados sermones son difíciles de seguir porque pasó la mayor parte de la semana visitando hospitales y ayudando a los necesitados. Otros ven un profesor serio con ceño fruncido, agitando su Biblia desde el púlpito y declarando semana tras semana algunas opiniones sobre cada tema. Otros aún recuerdan el dolor o incluso el abuso que experimentaron por parte del hombre con título de "pastor" a quien la congregación estimaba y honraba.

El programa de discipulado de Jesús

El objetivo de este libro ha sido redescubrir la iglesia, por eso hemos pasado la mayor parte del tiempo enfocados en la iglesia, es decir, todos los miembros; es decir, *tú*. Sin embargo, los líderes juegan un papel crucial en cualquier iglesia y nos referiremos a ellos como *pastores* y *ancianos* indistintamente, porque así es como los llama la Biblia (ver Hch 20:17, 28; Tit 1:5, 7; 1P 5:1-2). Tu habilidad de hacer tu trabajo como miembro de la iglesia depende de que los pastores y los ancianos hagan el suyo. Tu labor, como vimos en el capítulo 5, es ser un sacerdote-rey. Jesús nos encomendó velar por el *qué* y el *quién* del evangelio, así como extender el dominio del evangelio por toda la tierra haciendo discípulos. ¿Pero, cuál es la labor del pastor?

A medida que las iglesias resurgen después del COVID-19, es tan importante, como siempre lo ha sido, que sepamos la respuesta a esa pregunta debido al impacto que la cuarentena de el COVID-19 tuvo en la confianza dentro de las iglesias, confianza hacia los miembros y confianza hacia los líderes. Pensaremos más sobre esto en un momento, pero parte de reconstruir la confianza es saber exactamente cuál es la labor del pastor. Y la descripción corta de la labor del pastor es equiparte para hacer tu trabajo.

Aprendimos esto en Efesios 4:11-16. El apóstol Pablo nos dice que Jesús le ha dado una serie de dones a Su iglesia, incluyendo a los pastores (Ef 4:11). Luego nos dice por qué Jesús dio este don a la iglesia: "a fin de capacitar al pueblo de Dios para la obra de servicio, para edificar el cuerpo de Cristo" (Ef 4:12). La labor del pastor es equipar a los santos para hacer su trabajo. Ellos nos enseñan cómo ministrarnos unos a otros, con este fin:

> Más bien, al vivir la verdad con amor, creceremos hasta ser en todo como Aquel que es la cabeza, es decir, Cristo. Por Su acción todo el cuerpo crece y se edifica en amor, sostenido y ajustado por todos los ligamentos, según la actividad propia de cada miembro (Ef 4:15-16).

Cada parte del cuerpo tiene trabajo que hacer. Todos participamos en el proyecto de edificar el cuerpo en amor. Y los pastores nos enseñan y entrenan para esta labor.

Entonces, la reunión semanal de la iglesia es un tiempo de entrenamiento. Permite a los que están en el oficio de pastor equipar a los que están en el oficio de miembro para que conozcan el evangelio, vivan de acuerdo con el evangelio, protejan el testimonio del evangelio de la iglesia y extiendan el alcance del evangelio en la vida de los demás y entre los de afuera. Si Jesús encomendó a los miembros a que se afirmen y se edifiquen unos a otros en el evangelio, entonces le encomendó a los pastores que los entrenen para hacer esto. Si los pastores no hacen bien su trabajo, tampoco los miembros lo harán.

> Labor del anciano + labor del miembro =
> Programa de discipulado de Jesús

Cuando juntas el trabajo del pastor con el de los miembros, ¿qué obtienes? El programa de discipulado de Jesús. Este no es un programa que puedes comprar en una librería cristiana, empacado con un manual del maestro, una guía de estudiante y carteles para la clase de escuela dominical. Está aquí en Efesios 4.

Equipando a través de la enseñanza

El ministerio del pastor o anciano de equipar se centra en la enseñanza y en su vida. Encontramos la fórmula en la instrucción de Pablo a Timoteo: "Ten cuidado de tu conducta y de tu enseñanza. Persevera en todo ello, porque así te salvarás a ti mismo y a los que te escuchen" (1Ti 4:16).

Veamos cada uno a la vez. Una de las principales cosas que distingue a los ancianos de los miembros es que deben "poder enseñar" (1Ti 3:2). Eso no significa que el anciano debe subir al púlpito, pararse frente a miles de personas y cautivarlos con su conocimiento y sabiduría. Significa que si estás luchando por entender la Biblia o cómo manejar una situación de vida difícil, sabes que puedes pasar a su casa, pedirle ayuda y obtendrás una respuesta bíblica. Confías que, cuando abra la Biblia, no dirá locuras. Te proporciona un entendimiento fiel de la Biblia. Te enseña "lo que está de acuerdo con la sana doctrina" (Tit 2:1).

Algún domingo por la tarde, lee las tres cartas de Pablo a los dos pastores, Timoteo y Tito, y subraya cada referencia a la enseñanza. Puede que se canse tu mano. Para elegir solo uno, Pablo dice en su segunda carta a Timoteo que Timoteo debe seguir el ejemplo de la sana doctrina que aprendió de él (2Ti 1:13). Lo que ha escuchado de Pablo debe encomendarlo a hombres dignos de confianza, quienes podrán a su vez enseñar a otros (2Ti 2:2). Debe ser diligente y enseñar rectamente la palabra de verdad (2Ti 2:15). Debe evitar las palabras profanas que se desvían de la verdad (2Ti 2:16, 18). Y debe enseñar e instruir solo como Dios quiere que enseñe, sabiendo que el arrepentimiento conducirá a un conocimiento de la verdad (2Ti 2:24-25).

Pablo concluye mandando a Timoteo a persistir en predicar la Palabra, en corregir, reprender y animar con mucha paciencia (2Ti 4:2).

La imagen que provee Pablo tanto para Timoteo como para Tito es la labor lenta, paciente, diaria y repetitiva de procurar que las personas crezcan en piedad. Un anciano no fuerza, sino que enseña, porque un acto piadoso forzado no es piedad. Un acto piadoso lo elige voluntariamente un corazón regenerado en el nuevo pacto.

Cuando los ancianos enseñan, la congregación comienza a servir y a hacer buenas obras. Una maravillosa imagen de este patrón ocurre en Hechos 16, cuando Pablo y sus acompañantes llegan por primera vez a Filipos. Pablo enseña a un grupo de mujeres, incluyendo a una mujer llamada Lidia. Leemos en el verso 14 que "el Señor le abrió el corazón para que respondiera al mensaje de Pablo". Así que Pablo la bautizó. Luego ella le dice a Pablo y a sus acompañantes, "si ustedes me consideran creyente en el Señor, vengan a hospedarse en mi casa". Lucas quien está escribiendo este relato, concluye, "y nos persuadió" (Hch 16:15). ¡Así que Pablo le predica, Lidia se convierte, e inmediatamente después comienza su labor mostrando hospitalidad!

Equipando al dar el ejemplo

Los ancianos no solo enseñan. Ellos también deben dar el ejemplo en sus vidas para todo el rebaño. Pedro enseña, "A los ancianos que están entre ustedes… les ruego esto: cuiden como pastores el rebaño de Dios que está a su cargo" (1P 5:1-2). ¿Cómo hacen esto, Pedro? "Siendo ejemplo", responde (1P 5:3).

El anciano trabaja llamando a las personas a imitar sus pasos. Así les dice Pablo a los Corintios: "Por tanto, les ruego que sigan mi ejemplo. Con este propósito les envié a Timoteo, mi amado y fiel hijo en el Señor. Él les recordará mi manera de comportarme en

Cristo Jesús, como enseñó por todas partes y en todas las iglesias" (1Co 4:16-17).

A veces los cristianos se sorprenden cuando buscan la descripción del puesto de anciano en la Biblia, y descubren que los autores son más sistemáticos al describir el *carácter* de un anciano (1Ti 3:2-7; Tit 1:6-9). También es interesante el hecho de que estas descripciones del carácter de un anciano apuntan a los atributos que deberían caracterizar a todos los cristianos: debe ser moderado, sensato, respetable, hospitalario, no debe ser borracho ni pendenciero, ni amigo del dinero, etc. ¿No deberían todos los cristianos aspirar a ser todas estas cosas? Las únicas excepciones son que debe ser "capaz de enseñar" (1Ti 3:2) y que "no debe ser un recién convertido" (1Ti 3:6). La gente podría preguntarse por qué Pablo no requiere algo más extraordinario de los ancianos, así como un historial demostrado de liderar grandes organizaciones, haber fundado siete orfanatos o encabezado un avivamiento que llevó a la conversión de cientos de personas. Pareciera que la razón nos lleva de regreso a la idea de que el anciano es un ejemplo. Aparte del requisito de ser capaz de enseñar, su vida debería ser algo que los otros cristianos puedan imitar.

Los ancianos no constituyen una "clase" aparte, como la división entre los aristócratas y la gente común, o entre los sacerdotes medievales y los laicos. Fundamentalmente, un anciano es un cristiano y un miembro de la iglesia que ha sido apartado porque su carácter es ejemplar y tiene la capacidad de enseñar.

La diferencia entre un anciano y un miembro, aunque está formalmente designado por un título, es en gran parte una diferencia de madurez, no de clase.

Como un padre con un hijo, el anciano trabaja constantemente para llamar a los miembros a crecer y a madurar. Sin duda es un oficio distinto. Y no todos los cristianos maduros califican para ello. Sin embargo, el punto sigue siendo el mismo: un anciano se esfuerza por duplicarse a sí mismo en la medida que imita a Cristo (ver 1Co 4:16; 11:1).

Hablando en sentido figurado, él demuestra cómo usar un martillo y un serrucho, luego coloca las herramientas en las manos de los miembros. Toca la escala en el piano o balancea el palo de golf, luego les pide a los miembros que repitan lo que ha hecho.

Ser un pastor/anciano, podría decirse, hace que la vida entera sea un ejercicio de mostrar y compartir. ¿Recuerdas cuando llevabas un juguete a la escuela, les contabas a tus compañeros acerca de él y se los mostrabas? Hasta podías prestárselos para que lo tocaran y vieran cómo funcionaba.

Así es la vida del pastor o anciano. Le dice a su iglesia "déjame enseñarte el camino de la cruz. Ahora mírame caminarlo. Así es como soportas el sufrimiento. Así es como amas a tus hijos. Así es como compartes el evangelio. Así se mira la generosidad y la justicia. Déjame enseñarte cómo ser valiente por la verdad y bondadoso con el quebrantado".

¿Cuál es nuestro trabajo como miembros en relación con los ancianos? El autor de Hebreos lo resume de esta forma: "Acuérdense de sus dirigentes, que les comunicaron la palabra de Dios. Consideren cuál fue el resultado de su estilo de vida, e imiten su fe" (Heb 13:7).

Ventajas de la pluralidad

Si la labor del anciano es mostrar una forma de vida que todo cristiano pueda seguir, las iglesias se benefician de tener más de uno. Aprendemos de ver a hombres en un ministerio vocacional de tiempo completo. Sin embargo, también aprendemos del anciano que trabaja tiempo completo como maestro, en una fábrica o en finanzas. Los hombres en diferentes vocaciones nos dan la oportunidad de identificar cómo se ve la piedad en las diferentes esferas. Y no solo eso, un pastor puede hacer solo una cantidad limitada de labor pastoral durante la semana. Dos pueden hacer el doble del trabajo. Tres lo triplican. Y así sucesivamente.

El Nuevo Testamento nunca nos dice cuántos ancianos debe tener una iglesia, pero consistentemente se refiere a "los ancianos" de la iglesia local, en plural. Como cuando Pablo "mandó llamar a los ancianos de la iglesia de Éfeso" (Hch 20:17), o cuando Santiago escribió, "¿está enfermo alguno de ustedes? Haga llamar a los ancianos de la iglesia" (Stg 5:14; ver también Hch 14:23; 16:4; 21:18; Tit 1:5).

Además, no sugiere que todos los pastores o ancianos deben ser pagados y al menos un pasaje sugiere que solo algunos lo serían (1Ti 5:17-18). También es difícil de imaginar que las iglesias del primer siglo podrían haberles pagado a todos sus ancianos. Por ejemplo, ni Collin ni yo recibimos ingresos de parte de la iglesia. Trabajamos tiempo completo en ministerios para eclesiásticos. Sin embargo, ambos servimos como ancianos o pastores en nuestras respectivas congregaciones. ¡Nos gusta pensar que es nuestro trabajo de tardes y de fin de semana! Servir como ancianos que no hacen parte del " personal contratado" o como siervos "laicos" (como quieras llamarle), significa que asistimos a las reuniones regulares de ancianos, enseñamos de vez en cuando en diferentes eventos de la iglesia, se nos llama para atender varias situaciones de consejería o crisis familiares, damos consejería prematrimonial, y más. También significa que la iglesia siempre debe encabezar nuestra vida de oración, aunque esperamos que todos los otros cristianos anhelen hacer lo mismo.

Una pluralidad de ancianos no significa que el pastor que más predica no tenga un rol distintivo. Santiago fue especialmente reconocido como líder en la iglesia en Jerusalén (Hch 15:13; 21:18), así como Timoteo en Éfeso y Tito en Creta. En Corinto, Pablo se entregó a la predicación de una forma que no todos los ancianos laicos habrían hecho (Hch 18:5; 1Co 9:14; 1Ti 4:13; 5:17). Además, al ser la voz regular que proclama la Palabra de Dios, un predicador fiel probablemente encontrará que una congregación empieza a confiar en él de una manera única, de modo que incluso los otros ancianos lo tratan como el primero entre iguales y "especialmente" digno de doble honor, es decir, un ingreso (1Ti 5:17). Aun así, el predicador o pastor es, fundamentalmente, solo un anciano más, formalmente igual que cualquier otro hombre llamado por la congregación.

La pluralidad de ancianos tiene una serie de beneficios:

- *Da un balance a la debilidad del pastor.* Ningún pastor tiene todos los dones. Otros hombres de Dios tendrán dones, pasiones y perspectivas complementarios.
- *Añade sabiduría pastoral.* Ninguno somos omniscientes.
- *Mitiga la mentalidad de "nosotros contra él"* que a veces puede surgir entre la iglesia y el pastor.
- *Trae control al liderazgo* en la congregación, de modo que incluso si el pastor contratado se va, la congregación aún posee un sólido baluarte de liderazgo.
- *Crea una clara trayectoria de discipulado* para los hombres en la iglesia. No cualquier hombre será llamado por Dios para servir como anciano. Pero cualquier hombre debe preguntarse a sí mismo, *¿por qué no serviría y haría lo que sea necesario para ser el tipo de hombre que sirve al cuerpo de Cristo de esta manera?* Es bueno anhelar eso, dice Pablo (1Ti 3:1).
- *También establece un ejemplo de discipulado para las mujeres.* Las mujeres más maduras en la fe deben darse a sí mismas para discipular a las mujeres más nuevas en la fe, así como los ancianos lo hacen para toda la congregación (Tit 2:3-4).

El aceite de la confianza

El programa de discipulado de Jesús, dijimos hace un momento, consiste en que los ancianos hagan su trabajo de equipar a los miembros para hacer el suyo. Lo que es importante reconocer es que esto funciona solo si existe confianza entre los miembros y los ancianos. La confianza es el aceite que permite que el motor del programa de discipulado de Jesús opere. Sin él, los engranajes se detienen.

Piénsalo. Escuchamos, imitamos y seguimos a las personas en las que confiamos. Si creo que vives con integridad, me amas y tienes mis intereses en mente, me será fácil recibir tus palabras de instrucción o corrección, incluso las más difíciles. Si no confío en ti, voy a dudar y cuestionar todo lo que digas, aún lo más sencillo. Por lo tanto, una iglesia sana tiene líderes dignos de confianza, pero también personas que están dispuestas a confiar.

Parte de lo que hizo que la cuarentena del COVID-19 fuera tan desafiante es que la confianza decrece de manera natural cuando las personas no se ven. Excepto en casos de conflicto, estar físicamente con las personas ayuda a crear confianza.

- "Sí, lo conozco. Almorzamos juntos. Es buena persona. Me agrada".
- "Bueno, la conversación empeoró cada vez más en los correos electrónicos. Luego hablamos en persona y lo resolvimos. Ya está todo bien".

Estar junto a las personas normalmente hace crecer la confianza, mientras que la ausencia tienta a nuestros corazones hacia la preocupación, el escepticismo e incluso el miedo. Efectivamente, muchos pastores se dieron cuenta durante la cuarentena del COVID-19 que las reservas de confianza de su congregación, las cuales habían pasado años construyendo, estaban agotándose rápidamente. Durante las primeras semanas de la cuarentena, en la primavera del 2020, las cosas parecían estar bien dentro de las iglesias. Luego la presión fue aumentando conforme las semanas se volvían meses. Cada vez más, las restricciones se volvieron más estrictas. Luego, durante el verano las marchas de protesta irrumpieron a lo largo de todos los Estados Unidos. En otoño las elecciones de los Estados Unidos aumentaron aún más la presión. Y luego, los cuestionamientos sobre la transición presidencial llenaron el invierno. Lo que exacerbó estas tensiones políticas fue el hecho de que las iglesias no se estaban reuniendo o se estaban reuniendo únicamente en su capacidad parcial. Una iglesia que no puede reunirse y con bajas reservas de confianza es como un carro con un motor con poco aceite. Como mencionamos anteriormente, esos engranajes comenzarán a detenerse, entre un miembro y los ancianos, y entre miembros, incluyendo a través de las redes sociales. En cada paso del camino, las presiones políticas que actuaron en contra de la unidad se hicieron más fuertes mientras que los desafíos de reunirse hicieron que la confianza entre miembros y hacia los líderes fuera aún más difícil.

Tanto Collin como yo hablamos con decenas de pastores que fueron criticados por la derecha política, la izquierda política o ambas. Nos hablaron de miembros – aún líderes con larga trayectoria en sus iglesias – que dejaron la iglesia por lo que ellos habían dicho o por lo que dejaron de decir.

No podemos abordar los problemas políticos aquí, pero tal vez podemos ofrecer una rápida palabra pastoral a cualquiera de ustedes que haya perdido la confianza en los líderes de su iglesia, ya sea por razones políticas o de cualquier otra índole. Si ese eres tú, esto representa un problema. Tu fuente principal de crecimiento espiritual es escuchar la Palabra de Dios. Entonces si tú, tu cónyuge o tus hijos no confían en los pastores, tendrás dificultad para escuchar de ellos la

Palabra de Dios semana tras semana, lo que eventualmente te llegará a lastimar espiritualmente. Por lo tanto, este es un problema que se debe abordar y resolver, si es posible.

Quizás el problema eres tú. Debes al menos considerar esta posibilidad, especialmente si te has vuelto en contra de amigos y de otros líderes que conoces y has confiado durante años. Ora al respecto e invita a la crítica a alguien en quien confíes. Tal vez el problema es uno o más ancianos, en cuyo caso debes abordarlo directamente con ellos.

Obviamente no podemos diagnosticar aquí tu situación en particular. Pero podemos decir que, si todos tus esfuerzos por restaurar la confianza han fallado, puede que necesites irte y encontrar una iglesia donde puedas confiar en los pastores lo suficiente como para que les permitas desafiarte cuando lo necesites. No busques simplemente una iglesia que confirme lo que ya sabes.

Sí, los cristianos siempre deben buscar la reconciliación. Pero a veces la humildad nos lleva a guardar por un tiempo esos conflictos más difíciles de tratar y pedirle al Señor que los resuelva en Su tiempo y a Su manera. Hasta que llegue ese momento, sigue siendo crucial tu capacidad continua de escuchar y aplicar la palabra de Dios sin el obstáculo de una confianza rota. Hablando como pastor, preferiría que alguien se fuera de mi iglesia porque no confía en mí, incluso si estoy convencido que él está equivocado y yo tengo razón, para que, con el tiempo, pueda crecer en piedad en otro lugar. Quizás escuchar la Palabra de Dios predicada en otro lugar le permitirá crecer para que, algún día, podamos reconciliarnos. Y probablemente también yo tenga algo en lo cual crecer. Es más importante para las personas estar bajo un liderazgo en el cual confíen que bajo mi liderazgo. La buena noticia es que, cada iglesia que predica el evangelio está jugando en el mismo equipo del reino.

¿Y los diáconos?

Además de los pastores/ancianos y los miembros, el Nuevo Testamento reconoce otro oficio más: los diáconos. Los diáconos no son un segundo grupo de personas que toman decisiones, como una especie de legislatura de dos cámaras con la Cámara de Representantes contrarrestando al Senado. Más bien, Dios les asigna a los diáconos hacer tres cosas: identificar y servir a la comunidad en las necesidades tangibles, proteger y promover la unidad de la iglesia y servir y apoyar el ministerio de los ancianos. Hablando en sentido figurado, si el anciano dice, "llevemos este automóvil a Filadelfia", no es el trabajo del diácono venir y decir, "no, vamos a Pittsburgh". Más bien, ellos sirven a los ancianos, y a toda la iglesia, si vienen y dicen, "el motor de este automóvil no nos llevará hasta Filadelfia".

La historia en Hechos 6 nunca usa el sustantivo diácono, pero usa la misma palabra como un verbo. Nuestra Biblia lo traduce como "servir". El trasfondo es este: la iglesia en Jerusalén estaba dividida por motivos étnicos, como suele ser el caso en la historia del mundo. Las viudas de habla griega estaban siendo descuidadas en la distribución de alimento en comparación con las viudas de habla hebrea. Los apóstoles observaron que no le serviría a la iglesia si ellos "diaconaban las mesas" (como dice literalmente en griego, Hch 6:2), ya que ellos habían sido llamados para entregarse a la predicación de la Palabra (o como ellos lo expresaron, "diaconar la Palabra", Hch 6:4) y a la oración. Por lo tanto, dieron instrucciones a la iglesia para que encontraran personas piadosas que pudieran hacer el trabajo de asegurarse que las viudas tuvieran sustento. Cuidar el bienestar físico de las personas manifiesta el cuidado de Dios; a menudo los beneficia espiritualmente; y actúa como testimonio para los que están afuera de la iglesia. Detrás del cuidado de las necesidades físicas se encuentra un segundo aspecto del trabajo de un diácono: la lucha por la unidad del cuerpo. Al cuidar de las viudas, los diáconos ayudaron a que la distribución de alimentos entre estas mujeres fuera más equitativa. Esto era importante porque la negligencia física estaba causando falta de unidad espiritual en el cuerpo (ver Hch 6:1). Los diáconos fueron designados para evitar la falta de unidad en la iglesia. Su trabajo consistía en actuar como amortiguadores para el cuerpo.

En un tercer nivel, los diáconos fueron designados para apoyar el ministerio de los apóstoles. Al ministrar a las viudas, los diáconos apoyaban a los maestros de la Palabra en su ministerio. En este sentido, los diáconos son fundamentalmente quienes motivan y apoyan el ministerio de los ancianos. ¿El resultado? "Y la palabra de Dios se difundía: el número de los discípulos aumentaba considerablemente en Jerusalén" (Hch 6:7).

Si todos los cristianos están llamados a servir y trabajar para mantener la unidad de la iglesia, ¿por qué debe reconocerse formalmente el oficio de diácono? Porque le recuerda a la iglesia lo cerca que está ese servicio del corazón del evangelio y de nuestro Señor Jesucristo. Jesús dijo que, no vino para ser servido, sino para servir. Y la palabra que usa para "servir" es la palabra que traducimos con "diácono" (Mr 10:45). Jesús vino "a diaconar". Así como los ancianos son un ejemplo de vivir según la doctrina cristiana, los diáconos son un ejemplo de vivir en servicio.

Alabado sea Dios por los dones de los ancianos, así como de los diáconos. Conforme redescubres la iglesia, esperamos que esta palabra quede en tu mente: dones, es decir, regalos. Dios te ama y te ha dado estos regalos: los ancianos y los diáconos. ¿Los ves cómo regalos? ¿Le das gracias a Dios por ellos como regalos? Puedes hacerlo. Ellos hacen lo que hacen por tu bien y para el avance del evangelio. Dios les ha dado una responsabilidad seria: "pues cuidan de ustedes como quienes tienen que rendir cuentas" (Heb 13:17). Podemos confiar en ellos para hacer este trabajo – y obedecerlos – cuando confiamos que el Dios que sabe y ve todas las cosas les pedirá cuentas.

Lecturas recomendadas:

Rinne, Jeramie. *Los ancianos de la iglesia: Cómo pastorear el pueblo de Dios como Jesús* (Medellín Colombia: Poiema Publicaciones, 2018).

Smethurst, Matt. *Deacons: How They Serve and Strengthen the Church* [*Diáconos: Cómo sirven y fortalecen la iglesia*]. (Wheaton, IL: Crossway, 2021).

No obtienes la iglesia que quieres, sino algo mejor

Queremos concluir este libro con dos historias. Primero, conozcan a Todd y a Allison. Éstos no son sus nombres verdaderos, y hemos alterado algunos detalles, pero son personas reales. Todd y Allison pasaron varios años sirviendo como misioneros en una gran ciudad de Asia con poca comunión con la iglesia. Ahora viven en una ciudad grande con muchas iglesias en el sur de los Estados Unidos, y asisten a la iglesia semanalmente.

Lamentablemente, su tiempo en el campo misionero fue duro para su matrimonio, y hoy han desarrollado un patrón de peleas sin parar. Si le preguntas a Todd, te dirá que Allison lo critica sin cesar. Y, a decir verdad, ha comenzado a preguntarse si podrá soportar el estar casado con esta mujer por el resto de su vida. Allison siente lo mismo. El encanto de Todd, que hace sonreír a todos los demás, a ella le revuelve el estómago. ¿Dónde está ese encanto cuando vuelve a casa malhumorado, le grita a los niños y cuestiona lo que ella ha hecho en su día? Ella se pregunta por qué se casó con él.

Sin embargo, hay otro problema detrás de todo esto: realmente no tienen relaciones con la gente de su iglesia. Viven en la periferia, a las afueras de la ciudad. Se presentan el domingo para el servicio de setenta y cinco minutos, pero eso es todo. Nadie sabe con qué están luchando ni nunca comparten sus luchas.

Irónicamente, Todd y Allison se consideran cristianos maduros. Ambos han dirigido estudios bíblicos desde sus días en el liderazgo estudiantil en grupos universitarios cristianos. Saben cómo usar la jerga correcta cuando oran frente a otras personas. Sin embargo, son más orgullosos de lo que creen. No reconocen cuánto necesitan la iglesia, y cómo Jesús piensa cuidar de ellos a través de Su iglesia. De modo que permanecen en la periferia, dejando a la iglesia sin conocer sus luchas y limitada en el bien que les puede hacer.

¿Qué queremos para Todd y Allison? Queremos que se humillen y se adentren más profundamente en la iglesia, incluso si eso significa hacer sacrificios. Podrían buscar formas de recortar sus horarios semanales para buscar el bien que les hace construir relaciones. Podrían reconsiderar sus descansos y planes de vacaciones, y buscar formas de involucrar a los miembros de su iglesia en esos planes. Francamente, podrían pensar en acercarse a la iglesia para que los puntos de contacto frecuentes sean más fáciles. Recoger un galón de leche en la tienda y dejárselo en la casa a un compañero se convierte fácilmente en una conversación de treinta minutos, algo que rara vez ocurre cuando vives a treinta minutos de distancia. Esas conversaciones no planificadas no son buenas para su horario, pero pueden ser buenas para su alma.

Aquí hay una segunda historia, esta es sobre Jazmín. Jazmín creció con un padrastro que abusó física y sexualmente de ella, seguido de un hogar de acogida donde ocurrió el mismo abuso. Por la gracia de Dios, se convirtió al cristianismo cuando era una joven adulta y se casó con un cristiano. Sin embargo, los primeros años de matrimonio fueron difíciles debido a todas las cicatrices, los miedos, la ira y el quebrantamiento que aún se acumulaban en su interior.

Maravillosamente, Dios le dio a Jazmín un esposo piadoso y una iglesia amorosa. En los primeros años de matrimonio, la pareja pasó mucho tiempo en consejería pastoral. Jazmín también pasó mucho tiempo con otras mujeres de la iglesia. Todas las semanas se sentaban bajo la predicación de la Palabra de Dios y estudiaban la Biblia.

Poco a poco, Jazmín comenzó a abrirse, como una tímida flor calentada por el sol. Aprendió a confiar. Ganó el control de su temperamento violento. Dejó de ver a todos en su vida como una amenaza. Dejó de ver cada minuto de sus días como una batalla por el control y la autoprotección. Aún más, comenzó ver hacia afuera y aprendió cómo amar y enfocarse en otros. ¿Cómo sufrieron? ¿Qué cargas llevaron? ¿Cómo podía entregarse a amarlos? Los familiares no cristianos y los amigos que la habían conocido de niña solo podían maravillarse.

¿Qué queremos para Jazmín? Queremos que ella siga adelante, que siga invirtiendo en los demás, incluso mientras busca que otros inviertan en ella.

No es necesario ser extrovertido para ser un miembro fiel de la iglesia. Algunas personas tienen mucha energía emocional para gastar, otras solo tienen un poco. Solo te decimos, gasta lo que tengas. Sé fiel con cualquier recurso que Dios te haya dado para amar y ser amado por Su iglesia.

No vayas como de compras

Como dijimos al inicio del libro, tú podrás tener muchas razones para no ir a la iglesia. Por eso miramos este momento en la historia como una oportunidad para redescubrir la iglesia. El distanciamiento de la iglesia no comenzó con la pandemia o con el partidismo. El mundo que nos rodea busca cultivar instintos en todos nosotros que nos empujan en contra de la visión de la iglesia que has encontrado en este libro. Si las iglesias van a florecer durante lo incierto que depara el futuro, deben ser redescubiertas.

El mismo lenguaje que la gente usa hoy para buscar una iglesia sugiere el problema fundamental. La gente habla de "ir a buscar" una iglesia. Lo dicen como cuando vas a comprar alguna prenda de ropa. Cuando vas en busca de una iglesia, te preguntas qué puede hacer esa iglesia por ti, no qué puedes hacer tú por la iglesia. *Ir a buscar* también sugiere que la iglesia es una cuestión de mera preferencia, como elegir entre marcas de salsa de tomate, y el cliente siempre tiene la razón. La lealtad dura solo mientras la iglesia continúe satisfaciendo tus necesidades.

Considera el papel que juega la tecnología. Ya hemos hablado de cómo las iglesias a través de los videos en línea y los podcasts dan la impresión de que no necesitamos a otros cristianos comunes para nuestro crecimiento espiritual. Si podemos encontrar nuestra música de adoración favorita en YouTube y nuestro predicador favorito en Spotify, entonces podemos armar una experiencia espiritual personalizada que supera cualquier esfuerzo a medias que podamos encontrar afuera mientras luchamos por un espacio contra familias frenéticas que no nos importa conocer.

Pero el desafío que plantean las nuevas tecnologías a las iglesias no comenzó ayer. No somos los primeros en observar que el automóvil terminó efectivamente con la disciplina de la iglesia para muchas de ellas. De repente, alguien podría divorciarse de su esposa sin motivo y simplemente conducir a un vecindario o pueblo diferente para ir a la iglesia. Nunca necesitaría arrepentirse públicamente ante la demanda de los líderes de la iglesia llamados a proteger y cuidar a su exesposa e hijos. El punto no es que las nuevas tecnologías sean malas, es solo que crean nuevos desafíos que a menudo pasamos por alto.

Y entonces, una y otra vez, la iglesia necesita ser redescubierta. Esto se debe a que todos somos propensos a olvidar lo que Dios quiere para nosotros. El apóstol Pablo les dijo a los filipenses: "No hagan nada por egoísmo o vanidad; más bien, con humildad consideren a los demás como superiores a ustedes mismos. Cada uno debe velar no solo por sus propios intereses, sino también por los intereses de los demás". En esto señaló el ejemplo de Jesús, "quien, siendo por naturaleza Dios, no consideró el ser igual a Dios como algo a qué aferrarse. Por el contrario, se rebajó voluntariamente, tomando la naturaleza de siervo y haciéndose semejante a los seres humanos" (Fil 2:3-4, 6-7). Jesús se humilló a Sí mismo al morir en la cruz para poder ser exaltado por Dios. Si queremos la unidad amorosa en la iglesia, entonces debemos seguir el mismo camino de la abnegación. Ningún otro camino llegará a la cima, donde encontraremos la aprobación de Dios: "Bien, buen siervo y fiel" (Mt 25:21).

Yo (Collin), conozco a un pastor que a menudo dice que nadie obtiene la iglesia que quiere. Pero todos obtienen la iglesia que necesitan. Todos necesitamos iglesias que nos llamen a algo más grande que nosotros mismos. Necesitamos iglesias que finalmente nos llamen a Dios. Cuando seguimos el ejemplo de Jesús, obtenemos la iglesia que necesitamos.

Intuición formativa

Hoy todos estamos capacitados para utilizar instituciones como la familia, el trabajo y la escuela para lograr nuestros objetivos personales de atención y aceptación. Una vez que obtenemos lo que queremos, o la institución nos pide algo que no queremos dar, podemos descartarlo y pasar a otro objetivo. Conseguir un nuevo trabajo. Conseguir una nueva familia. Conseguir una nueva escuela.

Pero el crecimiento personal no suele funcionar de esa manera. Generalmente, las relaciones no te cambian para mejor si no te desafían en tu peor momento. Considera esto: ¿Quiénes son las personas más importantes en tu vida? ¿Solo te afirman a ti y a cada decisión que tomas? ¿O confías en que te amarán pase lo que pase, y que te amarán lo suficiente como para decirte la verdad? Las relaciones con familiares y amigos se forjan en las buenas y en las malas. Ellos estarán detrás de ti en tu mejor momento, se pararán a tu lado en tu peor momento, y se pararán frente a ti en su momento más vulnerable.

Ese es el tipo de iglesia que debemos redescubrir. La iglesia no es una institución más que usamos para construir un currículum y mejorar nuestra propia identidad. La iglesia nos convierte en hombres y mujeres de Dios. Nos hacemos más fuertes juntos. Al mismo tiempo, aprendemos más sobre quién quiere Dios que seamos como individuos: nuestras habilidades y pasiones únicas. La iglesia anula nuestra personalidad. La mejora al conectarnos con el Creador que nos hizo como somos y con otros que sacan el amor y la fuerza que nunca supimos que teníamos. Puede que no consigas la iglesia que deseabas. Pero obtienes la iglesia que nunca supiste que necesitabas.

Nosotros no somos ajenos al número de iglesias que se quedan cortas en esta visión. Podrías pensar que subestimamos los desafíos. Por el contrario, debido a nuestras posiciones, sabemos mucho más que la mayoría sobre el lado oscuro de las iglesias. Lo hemos experimentado nosotros mismos. Lo hemos escuchado de otros. Lo hemos visto con amigos y familiares. Y no te estamos pidiendo que toleres el abuso o la teología herética. No estamos emitiendo un respaldo general a las iglesias ni aprobando el uso indebido del poder y la autoridad que sabemos que es común entre las iglesias, tanto en el pasado como en el presente.

Sin embargo, creemos que debes esperar que haya fricciones en la iglesia. No debes esperar llevarte bien con todo el mundo. No debes esperar compartir la misma visión, las mismas prioridades, las mismas estrategias. Esos momentos de fricción nos ponen a prueba a todos. Nos hacen preguntarnos si sería más fácil asistir a otra iglesia a la vuelta de la esquina. Podría ser, al menos por un tiempo, aunque probablemente no para siempre, porque en esa iglesia encontrarás pecadores redimidos por gracia. Y seguirás siendo un pecador redimido por gracia. Encontrarás lo bueno y lo malo, tal vez en menor grado. Pero ninguna iglesia de este lado de la eternidad puede evitar todos los desacuerdos y desilusiones.

Piensa en la iglesia como olas azotando sobre rocas. Las olas son la iglesia. Tú y otros miembros de la iglesia son las rocas. Día tras día, año tras año, las olas fluyen sin cesar. Corren sobre cada roca y empujan las rocas una contra la otra. De un mes a otro, probablemente no notarás mucha diferencia. Pero a lo largo de los años, incluso las décadas, observarás el cambio. A medida que las olas rompen y las rocas caen unas sobre otras, sus bordes se vuelven suaves. Adquieren un brillo pulido en el sol. No emergen dos rocas del proceso con el mismo tamaño o forma. Pero a su manera, cada uno se vuelve hermoso.

No debería sorprendernos que Pedro, la "roca" en persona, recoja las imágenes de las piedras para describir la iglesia. Primero, Pedro quiere que veamos que la iglesia está edificada sobre el fundamento de Jesús. Aplica Isaías 28:16 a Jesús: "Miren que pongo en Sión, una piedra principal escogida y preciosa, y el que confíe en ella no será jamás defraudado" (1P 2:6).

En segundo lugar, quiere que nos demos cuenta de que Dios no esperaba que todos vieran a Jesús como algo precioso. Para ellos, Pedro cita el Salmo 118:22, "La piedra que desecharon los constructores ha llegado a ser la piedra angular", e Isaías 8:14, "Piedra de tropiezo una roca que los hará caer" en 1 Pedro 2:7-8.

En tercer lugar, quiere que veamos que Jesús ha edificado algo hermoso, nosotros, la iglesia: "Cristo es la piedra viva, rechazada por los seres humanos, pero escogida y preciosa ante Dios. Al acercarse a Él, también ustedes son como piedras vivas, con las cuales se está edificando una casa espiritual. De este modo llegan a ser un sacerdocio santo, para ofrecer sacrificios espirituales que Dios acepta por medio de Jesucristo" (1P 2:4-5).

No es necesario comprender todas las alusiones del Antiguo Testamento aquí para maravillarse de lo que Dios ha hecho en la iglesia. Al creer en Jesús, hemos sido salvados de nuestro pecado por Dios y para Dios. No hemos sido salvados por nosotros mismos y para nosotros mismos. Dios está edificando algo mucho más grande que cualquiera de nosotros. Pedro apenas puede contener su emoción:

"Pero ustedes son linaje escogido, real sacerdocio, nación santa, pueblo que pertenece a Dios, para que proclamen las obras maravillosas de Aquel que los llamó de las tinieblas a Su luz admirable. Ustedes antes ni siquiera eran pueblo, pero ahora son pueblo de Dios; antes no habían recibido misericordia, pero ahora ya la han recibido" (1P 2:9-10).

Son muchas las cosas que suceden en tu pequeña iglesia cuando el sistema de sonido no funciona, cuando te estás reuniendo en un espacio abierto porque en el interior de tu iglesia no estás a salvo de enfermedades, los niños tienen hambre, la hermana Beatriz ronca durante la bendición, el hermano Jaime publicó algo tonto en Facebook y el pastor no tuvo suficiente tiempo para la preparación del sermón porque tuvo un funeral y tres visitas inesperadas al hospital. Cuando redescubras la iglesia, verás la belleza donde gran parte del mundo solo ve rocas.

Solo asiste

Escribimos este libro para ayudarte a redescubrir la iglesia, para que puedas ver por qué el cuerpo de Cristo es esencial. ¿Y ahora qué? ¿Cuál es el siguiente paso? Tenemos buenas noticias. Es más fácil de lo que imaginas. Solo preséntate en tu iglesia y pregunta cómo puedes ayudar.

Así es, esta es la gran conclusión del libro. Cuando yo (Collin) hablo con los nuevos miembros de la iglesia, hago una gran promesa. Y hasta ahora, nadie ha regresado para quejarse de que los engañé. Les prometo que si asisten constantemente (en nuestra iglesia, eso significa una reunión de adoración colectiva el domingo y un grupo de base el miércoles) y buscan cuidar a los demás, obtendrán todo lo que quieran de la iglesia. Eso podría ser crecimiento espiritual, amistades, conocimiento bíblico o ayuda práctica. Obtendrán lo que quieran de la iglesia cumpliendo solo con esas dos tareas simples.

Si no participas con regularidad, no obtendrás la experiencia formativa de la iglesia. No crecerás en conocimiento bíblico a través de la enseñanza o en profundidad relacional al orar con otros. Y si no buscas el bien de los demás, aprendes a juzgar a la iglesia por cómo no satisface tus necesidades y cómo otros no te buscan a ti. Ninguno de nosotros ha visto a personas redescubrir la iglesia y obtener lo que quieren de la comunidad a menos que asistan constantemente y pregunten a otros cómo pueden ayudar.

Recuerda, eres el cuerpo de Cristo. Puedes ser una mano, una oreja o un ojo. Sea cual sea el miembro que eres, eres imprescindible.

El cuerpo no funciona correctamente sin ti. Y tú necesitas al cuerpo de Cristo. Así que, ven y pregunta. Otros cristianos te necesitan más de lo que te imaginas y un día comprenderás cuánto los necesitabas tú también.

Agradecimientos

Collin quisiera agradecer a David Byers por su oración y apoyo tangible mientras escribía este libro. Además, reconocemos con gratitud que pequeñas porciones de los siguientes artículos y libros se han adaptado para este libro con permiso:

Capítulo 2: Jonathan Leeman, "The Corporate Component of Conversion" [El componente corporativo de la conversión], 29 de febrero, 2012, 9Marks.org.

Capítulo 3: Jonathan Leeman, "Do Virtual Churches Actually Exist?" ["¿Existen realmente las iglesias virtuales?"], 9 de noviembre, 2020, 9Marks.org; Jonathan Leeman, "Churches: The Embassies and Geography of Heaven" ["Iglesias: Las embajadas y geografía del cielo"], 20 de diciembre, 2020, 9Marks.org.

Capítulo 5: Jonathan Leeman, "Church Membership Is an Office and a Job" [La membresía de la iglesia es un oficio y un trabajo], 7 de mayo, 2019, 9Marks.org.

Capítulo 6: Jonathan Leeman, "Is It Loving to Practice Church Discipline?" ["¿Es realmente amar practicar la disciplina en la iglesia?"] (Wheaton, IL: Crossway, 2021); Jonathan Leeman, "The Great American Heartache: Why Romantic Love Collapses on Us" ["El gran desconsuelo americano: ¿Por qué el amor romántico colapsa?"], 21 de noviembre, 2018, DesiringGod.org.

Capítulo 9: Jonathan Leeman, "Church Membership Is an Office and a Job" ["La membresía de la iglesia es un oficio y un trabajo"], 7 de mayo, 2019, 9Marks.org; Jonathan Leeman, "Understanding the Congregation's Authority" ["La autoridad de la congregación"] (Nashville: B&H, 2016).

Índice de las Escrituras

9Marcas

EDIFICANDO IGLESIAS SANAS

¿Es tu iglesia saludable?

El propósito de 9Marcas es equipar a los líderes de la Iglesia con una visión bíblica y recursos prácticos para mostrar la gloria de Dios a las naciones a través de iglesias saludables. Para ello, queremos ayudar a las iglesias a crecer en nueve marcas de salud que a menudo se pasan por alto:

1. La predicación expositiva.
2. La doctrina del evangelio.
3. Un entendimiento bíblico de la conversión y el evangelismo.
4. La membresía de la iglesia según la Biblia.
5. La disciplina en la iglesia según la Biblia.
6. Una preocupación bíblica por el discipulado y el crecimiento.
7. El liderazgo de la iglesia según la Biblia.
8. Un entendimiento bíblico de la práctica de la oración.
9. Un entendimiento y una práctica bíblicos de las misiones.

En 9Marcas escribimos artículos, libros, reseñas de libros y un diario en línea. Organizamos conferencias, grabamos entrevistas y producimos otros recursos para equipar iglesias para mostrar la gloria de Dios. Visita nuestro sitio web para encontrar contenido en más de 30 idiomas y regístrate para recibir nuestra revista en línea de forma gratuita. Consulta el listado de nuestro sitio web en otros idiomas en:

9marks.org/about/international-efforts

Inglés: 9marks.org | Español: es.9marks.org

CONOCER
A
DIOS

"Este es el mejor libro cristiano del siglo veinte".

MARK DEVER

———∞∞∞———

Por más de cuarenta años, este clásico de J. I. Packer le ha mostrad
a más de un millón de cristianos alrededor del mundo la maravilla
la gloria y el gozo de conocer a Dios. Ahora más que nunca, al lado d
la Escritura, este podría ser el libro más relevante que leerás este año.
o el siguiente.

———∞∞∞———

*Packer juntó mente y corazón. Nos mostró cómo
unir los puntos entre el pensamiento cristiano serio
y la aplicación a la vida… Nos invitó a pensar y a
vivir el cristianismo en todos los aspectos de la vida.*
— DAVID DOCKERY

Adquiérelo en

www.
poiema.co

Lee los libros de la serie de *9Marcas*

EDIFICANDO IGLESIAS SANAS

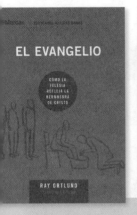

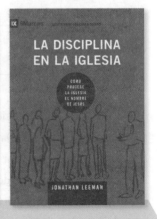

Encuentra más en
www.poiema.co/9marcas

Conoce la Serie

40 DÍAS

Esta serie de devocionales cortos escrita por el popular autor y conferencista Paul David Tripp anima a los cristianos a experimentar el mensaje vivificador del evangelio cada día. Cada libro contiene 40 lecturas diarias cuidadosamente seleccionadas del libro bestseller *Nuevas misericordias cada mañana*, y cada lectura desarrolla un tema esencial de la vida cristiana. Tan cortas como para ser leídas en 5 minutos o menos, cada meditación te animará como lector a atesorar las verdades transformadoras de la Palabra de Díos con mayor profundidad.

Otros libros de
POIEMA

El Catecismo de la Nueva Ciudad
Devocional

Introducción por
Timothy Keller

La verdad de Dios para
nuestras mentes y
nuestros corazones

MARK DEVER

¿QUÉ ES UNA IGLESIA SANA?

LA VIDA CENTRADA
en el EVANGELIO

GUÍA DE ESTUDIO CON NOTAS PARA EL LÍDER

ROBERT H. THUNE • WILL WALKER

EL PODER DE LA
PALABRA
PARA TRANSFORMAR UNA
NACIÓN

Un llamado bíblico e histórico
a la iglesia latinoamericana

MIGUEL NÚÑEZ

TIMOTHY KELLER

evangelio
& vida

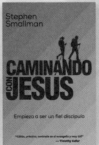

Stephen
Smallman

CAMINANDO
CON JESÚS

Empieza a ser un fiel discípulo

"Cálido, práctico, centrado en el evangelio y muy útil"
— Timothy Keller

Daniel Strange

CULTURA
& CONEXIÓN

El Evangelio
¡para cada rincón de la Vida!

Poiema /POY-EMA/ es la palabra griega que se refiere a una obra creada por Dios. Es la raíz de nuestra palabra "poema", que nos insinúa algo artístico, no una simple fabricación. Pablo dice:

Porque somos la obra maestra (POIEMA) de Dios, creados de nuevo en Cristo Jesús…
Efesios 2:10

El propósito de Poiema Publicaciones es reflejar la imagen de nuestro Creador, creando libros de alta calidad, accesibles, agradables y pertinentes al mundo caído en el que vivimos. Dios nos invita a tomar parte en la redención de toda Su creación en Jesús. En Poiema Publicaciones, sentimos un llamado a que nuestra lectura ¡también sea redimida!

POIEMA
LECTURA REDIMIDA

 PoiemaLibros

 Poiema Publicaciones

 PoiemaLibros

Visita nuestra web www.**poiema**.co